EM HONRA AO
ESPÍRITO SANTO

CASH LUNA

EM HONRA AO
ESPÍRITO SANTO

ELE NÃO É ALGO, É ALGUÉM!

EDITORA VIDA
Rua Conde de Sarzedas, 246 – Liberdade
CEP 01512-070 – São Paulo, SP
Tel.: 0 xx 11 2618 7000
atendimento@editoravida.com.br
www.editoravida.com.br

© 2012, Cash Luna
Originalmente publicado com o título
En Honor al Espíritu Santo
Copyright da edição brasileira © 2017, Editora Vida
Edição publicada com permissão da Zondervan,
uma divisão da HarperCollins Christian Publishing,
Inc (Nashville, Tenesse, EUA)

■

Todos os direitos desta obra em língua portuguesa
reservados por Editora Vida.

PROIBIDA A REPRODUÇÃO POR QUAISQUER MEIOS,
SALVO EM BREVES CITAÇÕES, COM INDICAÇÃO DA FONTE.

Todos os grifos são do autor.

■

Scripture quotations taken from Bíblia Sagrada,
Nova Versão Internacional, NVI ®.
Copyright © 1993, 2000, 2011 Biblica Inc.
Used by permission.
All rights reserved worldwide.
Edição publicada por Editora Vida,
salvo indicação em contrário.

Editor responsável: Gisele Romão da Cruz
Tradução: Sônia Freire Lula Almeida
Revisão de tradução: Marcelo Smargiasse
Revisão de provas: Josemar de Souza Pinto
Projeto gráfico: Claudia Fatel Lino
Diagramação: Carolina do Prado
Capa: Arte Peniel

Todas as citações bíblicas e de terceiros foram
adaptadas segundo o Acordo Ortográfico da
Língua Portuguesa, assinado em 1990,
em vigor desde janeiro de 2009.

1. edição: set. 2017
1ª reimp.: jan. 2018
2ª reimp.: nov. 2018
3ª reimp.: jun. 2019
4ª reimp.: jul. 2020
5ª reimp.: jan. 2021
6ª reimp.: maio 2022
7ª reimp.: set. 2023

Dados Internacionais de Catalogação na Publicação (CIP)
(Câmara Brasileira do Livro, SP, Brasil)

Luna, Cash
    Em honra ao Espírito Santo : ele não é algo, é alguém! / Cash Luna ; [tradução Sônia Freire Lula Almeida]. -- São Paulo : Editora Vida, 2017.

Título original: *In Honor of the Holy Spirit*.
ISBN: 978-85-383-0358-9

1. Espírito Santo 2. Jesus Cristo - Ensinamentos 3. Vida cristã I. Título.

17-05854   CDD-231.3

Índices para catálogo sistemático:
1. Espírito Santo : Doutrina cristã : Cristianismo   231.3

Agradecimentos

À Sonia, fiel esposa e amiga, que sempre esteve ao meu lado fazendo o que acreditamos.

Aos meus filhos, que sempre me apoiaram com ternura durante as viagens que fiz a outras nações para compartilhar a Palavra de Deus e seu poder, sabendo que eu não os veria durante muitos dias para que eu pudesse ser bênção para outros. Hoje eles amam o Senhor e o servem comigo.

À minha mãe, por crer em mim quando contei a ela que queria ser um missionário, e por me assegurar que eu alcançaria meu objetivo, embora nenhum de nós soubesse o que isso significava na realidade.

À minha grande equipe, o maior presente de Deus no ministério. Graças a eles, ao seu trabalho persistente e apoio incondicional, tenho podido ir a lugares aonde Deus me conduz.

Aos membros da
Igreja Casa de Deus (House of God),
que eu fundei e na qual sirvo
como pastor sênior, pelo amor e pelo
respeito que têm mostrado
a mim e à minha família.

Dedicatória

Ao Espírito Santo,
membro da Trindade, a quem amo
com todo o coração.
Estou profundamente agradecido
por sua paciência para comigo.

Sumário

Introdução 13

Capítulo 1: Desperto e ainda estou contigo 15

Capítulo 2: Além da minha compreensão 29

Capítulo 3: Ele é alguém, não algo! 41

Capítulo 4: A portas fechadas 57

Capítulo 5: Onde quer que esteja 73

Capítulo 6: Abismo chama abismo 85

Capítulo 7: Ordens estranhas 97

Capítulo 8: Ministrando diante do Senhor 111

Capítulo 9: O natural e o espiritual 127

Capítulo 10: Seu lugar de habitação 141

Capítulo 11: Usado por ele 155

Capítulo 12: Curando os doentes 171

Capítulo 13: A bicicleta ou eu? 183

Introdução

Durante a infância, aprendi muitas lições sobre Jesus. Aprendi que ele fazia milagres, curava os doentes, andava sobre a água, multiplicava pães e peixes e que, além disso, havia se entregado como sacrifício para nossa salvação.

Embora tivesse aprendido muito sobre o Senhor Jesus na infância, só o aceitei como meu Senhor e Salvador pessoal no dia 11 de julho de 1982. Foi nesse dia que nasci de novo. Finalmente sua graça me alcançara.

A partir daquele momento, mais de vinte e cinco anos atrás, nunca deixei de servi-lo com minha mais profunda devoção, de continuamente dar meu testemunho, assim como fizeram os apóstolos durante o ministério que exerceram neste mundo.

Esperei muito tempo para escrever o meu primeiro livro, porque entendia que levava tempo para desenvolver um relacionamento maduro com o Espírito Santo, exatamente como acontece com qualquer outra pessoa. Quando recebi o poder do Espírito e ele começou a me usar para tornar conhecida sua presença e seus milagres a outros, senti um grande desejo de escrever sobre ele. De fato, fiz o rascunho do primeiro capítulo deste livro dez anos antes de ele ser publicado, mas deixei-o na gaveta para meditar sobre o tema. Entendi que seria mais razoável esperar até que estivesse certo de poder manter um relacionamento íntimo com o Espírito Santo e manter o poder sobrenatural que havia recebido na minha vida.

Você tem nas mãos um livro cujo conteúdo não se encontra em nenhuma outra publicação sobre esse assunto. Tenho certeza de que a combinação de ensino e narrativas sobre a minha própria experiência edificará sua vida e motivará você a buscar sua presença, a ponto de desejar ter um relacionamento íntimo com ele mais do que qualquer outra coisa que ele possa dar a você.

Se, depois de ler este livro, você sentir mais fome e sede de Deus, então terei cumprido o meu propósito em escrevê-lo.

CASH LUNA

1

Desperto e ainda estou contigo

Há momentos na vida que levam um homem a ficar nervoso; por exemplo, uma avaliação final na universidade ou enfrentar os pais da sua amada para pedir a mão dela em casamento. Lembro muito bem de como fiquei nervoso no primeiro dia em que encontrei o amor da minha vida! Eu tremia por dentro. Não sabia muito bem como devia me comportar ou o que devia dizer, e, quando achei que tinha as palavras certas, disse, com uma voz balbuciante, a primeira coisa que me passou pela cabeça e logo depois fiquei em silêncio mortal. Fiquei totalmente sem palavras. Pane geral. A grande conversa que eu tinha imaginado durou apenas alguns minutos.

O que dizer do dia do casamento? Nós, homens, sempre nos esquecemos de algo realmente importante, ou, pior ainda, podemos nos lembrar na lua de mel de que nos esquecemos de convidar um amigo para a cerimônia. Outro acontecimento que em geral nos faz sentir

EM HONRA AO ESPÍRITO SANTO

certo nervosismo é o nascimento do primeiro filho. No meu caso, lembro de haver planejado cada detalhe com o médico da minha mulher. O meu plano era estar presente no momento do parto, mas, quando o momento chegou, o médico viu o meu nervosismo. Ele simplesmente me deu um aperto de mão, chamou-me à parte e disse: — Até mais tarde. — O restante você já pode imaginar... Entrou, e me deixou esperando no corredor.

A verdade é que cada pessoa está vinculada a momentos e experiências capazes de mudar a vida de qualquer um, mas nem todos reagiremos da mesma maneira. Apenas em algumas ocasiões fiquei tão nervoso quanto num dia inesquecível de agosto de 1994. Estava a ponto de entrar em uma das igrejas mais importantes para desfrutar de uma de suas conhecidas reuniões de reavivamento. Por mais de onze anos, eu tinha orado por um grande avivamento na minha própria vida. Tinha buscado a presença do Senhor e sua unção de todo o meu coração quando ouvi notícias de que o poder de Deus estava sendo derramado com grande profusão nessas reuniões, em um grau que podia ser sentido no estacionamento. Eu estava cheio de expectativas. Acreditava que, no momento em que cruzasse aquela porta, o Espírito Santo seria derramado na minha vida e me deixaria estendido no chão. Tinha imaginado que, quando ficasse outra vez em pé, eu seria o homem mais ungido que jamais havia existido.

Assim que me sentei, fiquei profundamente desapontado. O poder do Senhor era real naquele lugar; seria uma tolice negar. O Espírito Santo estava tocando muitas pessoas, mas nada acontecia comigo. Ao menos, eu não parecia experimentar o que a maioria sentia.

Algumas vezes, sentia um suave formigamento na pele, mas só isso. Depois de ir àquelas reuniões durante vários dias, doze para ser preciso, minha frustração era enorme. Nada tinha mudado em mim mesmo tendo ido a duas reuniões por dia, uma média de sete horas diárias.

Você consegue imaginar? Orar durante onze anos, mantendo uma vida de santidade, servindo a Deus e depois não ver nada acontecer! Muitas perguntas passaram pela minha cabeça. Eu não podia duvidar de que o poder de Deus estava presente ali, mas não podia dizer que o tivesse provado pessoalmente.

Quando o pregador chamou para o altar todos os que quisessem receber a unção — em outras palavras, o poder de Deus—, eu corri até a frente. Depois da oração, enquanto todos caíam diante do poder de Deus, eu continuava em pé. Devo citar que a minha mulher era constantemente cheia com o poder do Espírito Santo. Cada noite, com a melhor das intenções, ela tentava me explicar como tinha recebido o poder de Deus e tentava me motivar a fazer o mesmo. Sonia estava bebendo tão profundamente dos rios de Deus que, em certa ocasião, ao sair do carro para entrar na igreja, notei que ela não estava levando sua Bíblia. Perguntei o motivo, pois ela tinha o costume de levar um exemplar, não apenas por ser cristã, mas também porque queria dar exemplo por ser a esposa do pastor. Ela sorriu e respondeu: — Hoje vou beber tanto do Espírito Santo que você terá de me carregar no colo.

EM HONRA AO ESPÍRITO SANTO

De fato, durante essa reunião, Sonia experimentou o poder de Deus e ficou repleta de sua presença. Essa experiência foi tão irresistível que, enquanto ela estava estendida no chão, eu me aproximei dela, movendo-a um pouco e disse: — Sua pressão sanguínea baixou de repente, querida?

Ela voltou a cabeça lentamente na minha direção com uma expressão tão austera que posso garantir que naquele momento recebi o dom de interpretar esses olhares e pensei: "É melhor sair e tomar um café!".

Pouco depois acabei tomando minha mulher nos braços, pois estava totalmente na presença de Deus. Obviamente que, diante de uma evidência inegável como essa, minha frustração aumentou a ponto de um dia, enquanto estava sentado num dos degraus da igreja, começar a soluçar como uma criança que tinha perdido seu melhor amigo. Em seguida, perguntei a Deus por que eu não recebia a unção de poder que outras pessoas tinham. Lembrei a Deus que eu era um homem de oração que dedicava mais de uma hora diária para me comunicar com ele; eu jejuava e buscava continuamente ter uma vida de santidade.

Foi então que Deus me confrontou: — Carlos, o seu problema é fé — disse o Senhor.

— Mas eu sou uma pessoa que outros consideram um homem de fé.

— Olhe para você mesmo — disse o Senhor. — Você tem dinheiro no banco, mas nem mesmo tem fé para usufruir comprando para você mesmo um bom par de sapatos.

Nesse momento, Deus me desafiou e mudou minha atitude.

— Se você não tem fé para comprar um par de sapatos, como pode esperar ter fé para ver a minha glória? O que é maior: a minha glória ou um novo par de sapatos?

Eu sinceramente pensei duas vezes antes de incluir essa experiência neste livro, mas concluí que não podia deixá-la de fora. Embora possa soar ridículo, essa simples pergunta mudou minha vida por completo.

A Bíblia está cheia de narrativas nas quais Deus envia pessoas para fazer algumas coisas estranhas. Creio que esse fato me encorajou e habilitou para seguir adiante. Pense por um momento: se não temos fé para obter coisas materiais, como teremos fé para as espirituais? Se eu não tenho fé para obter pequenas coisas, como posso ter fé para coisas maiores?

Por experiência, Deus me confrontou antes de me ungir. Eu entendi que sem fé é impossível agradar a Deus; portanto, no dia seguinte pus em prática a minha fé em tudo o que fiz, incluindo comprar um novo par de sapatos. Naquela noite, o milagre aconteceu. Eu pedira ao pastor sênior da igreja que o pastor convidado orasse por mim no domingo seguinte durante o culto. O pastor prontamente permitiu. No entanto, o Espírito Santo me

> Se não temos fé para obter coisas materiais, como teremos fé para as espirituais?

disse naquela noite: — Você já tem o que deseja; pode ir para casa agora.

Eu acreditei nele e decidi ir para casa, embora não tivesse experimentado nada muito poderoso. Assim que minha esposa e eu nos deitamos naquela noite, fechei os olhos para descansar quando senti sendo coberto com um lençol ou coberta bem devagar. Inicialmente, achei que ela é que estava me cobrindo. Em seguida, senti outro lençol posto sobre mim, outro e mais outro, até que literalmente comecei a afundar na minha cama com o peso. Finalmente, abri os olhos para ver o que estava acontecendo e fiquei surpreso ao não ver nenhuma coberta extra sobre o meu corpo; de fato, não tinha nada sobre mim, exceto um lençol muito fino, ainda que ambos estivéssemos afundando no colchão em razão do peso extra que havia sobre nós!

Olhei para ela e disse: — Sonia, é ele. Ele está fazendo isto.

Ela sorriu e respondeu: — Sim, é ele.

Realmente, era o peso de seu poder, sua própria presença que se manifestava em nós. Essa unção poderosa que eu havia buscado por tantos anos não viera por meio da oração de outra pessoa por mim, mas simplesmente pelo fato de eu confiar em Deus de todo o coração.

A partir daquele momento, eu experimentei a presença gloriosa do Espírito Santo em minha vida e em meu ministério. Sua força tem me acompanhado desde então. Sua visitação foi tão intensa que não pude dormir noites inteiras. Sua presença envolveu-me feito um

Desperto e ainda estou contigo

leve e, no entanto, pesado manto carregado de poder. Era uma presença tangível, como um peso sobre mim e uma forte corrente elétrica que corria por todo o meu corpo. Sua Palavra inundou minha mente por horas como uma chuva ininterrupta de versículos que me transformaram. Passaram-se horas até que vi da janela de meu quarto os primeiros raios do sol, e as palavras de Salmos 139.18 transformaram-se em realidade na minha vida: "E, quando desperto, ainda estou contigo".[1]

A melhor parte é que desde aquele dia especial não deixei de experimentar o poder do Espírito Santo em minha vida e ministério. Já se passaram mais de quinze anos, e cada dia o sinto tão fresco e novo como naquela noite. É maravilhoso saber que a presença do Deus em quem eu creio manifestou-se sem reservas e que eu posso passar noites inteiras com ele, orando até o amanhecer.

Até agora o sinto enchendo-me com sua doce e mansa presença, e oro para que depois de ler este livro — ao mesmo tempo simples e profundo — sua vida nunca mais seja a mesma. Desejo que sua fome e sede da presença de Deus o levem a buscá-lo com todas as suas forças.

Neste exato momento, onde você estiver, ele deseja encher você. No seu quarto, ou talvez onde trabalha, em um restaurante enquanto bebe uma xícara de café, no avião enquanto viaja. Não importa onde esteja, se passa

---

[1] Cf. *Nova Bíblia Pastoral.*

EM HONRA AO ESPÍRITO SANTO

por uma provação ou se simplesmente sai para trabalhar, ele anela visitar você.

Sua Palavra nos ensina que o Espírito Santo, enviado para viver em nós, "tem fortes ciúmes", ou seja, nos ama zelosamente (Tiago 4.5). O Senhor quer você mais do que você poderia querê-lo em toda a sua vida. O Espírito Santo deseja que você o busque, que tenha tempo para estar só com ele, sem ninguém mais por perto. Mais do que isso: ele deseja estar em comunhão com você, até mesmo em público. Deus deseja que você esteja atento à sua voz, ouvindo sua direção e orientação mesmo quando você estiver conversando com outras pessoas.

NOITES DE GLÓRIA

Nossa igreja havia aberto as portas havia apenas três meses e ainda estávamos nos reunindo em um hotel na Cidade da Guatemala. Muitas foram as vezes em que as pessoas foram incapazes de ter acesso ao salão das reuniões, porque a presença poderosa do Senhor tomara o local de entrada, os corredores e até mesmo os banheiros. Por fim, a administração do hotel não permitiu que continuássemos com as reuniões ali, porque aos domingos de manhã acabávamos tendo mais pessoas cheias do Espírito Santo do que eles tinham pessoas bêbadas em suas festas nas noites de sexta e sábado.

Em dezembro daquele ano, fui movido pelo Espírito Santo a separar seis noites consecutivas para ministrar a Palavra e o poder Deus àqueles que o desejassem. O preço para alugar o hotel era muito alto, de modo que pedi a um amigo que supervisionava a Escola Bíblica Mundial Harvest que nos alugasse seu salão principal, e aí teríamos nossas reuniões. Ele prontamente aceitou nossa solicitação.

Não demos nenhum nome especial a essas reuniões nem fizemos qualquer tipo de divulgação. O convite foi de boca a boca, até que um jovem me mostrou um folheto com as palavras inscritas "Noites de glória". Em seguida, informalmente e inspirados por Deus, as reuniões começaram a ser chamadas dessa forma. Serviram de caminho para que pessoas sedentas da presença divina pudessem experimentar tempos de refrigério, um lugar para beber do vinho do Espírito Santo e receber grandes milagres, à medida que cresciam no conhecimento de nosso Senhor Jesus Cristo. A vida das pessoas de fé que foram às reuniões foi transformada definitivamente.

Por causa da unção do Espírito Santo e do número crescente de testemunhos de pessoas tocadas por Deus, aquelas reuniões à noite começaram a crescer a ponto de se tornar grandes cruzadas de cura, com milagres e unção.

É maravilhoso ministrar quando a pessoa é ungida. Por vezes, os milagres começam a ocorrer por meio do Espírito unicamente, sem que seja necessário dizer sequer uma palavra. Um exemplo disso foi o que aconteceu na cruzada de cura que tivemos em Loja, uma pequena cidade do Equador. Nessa cidade havia talvez oito igrejas cristãs, mas 90% dos que assistiram às nossas reuniões Noites de Glória no Coliseu não eram cristãos.

EM HONRA AO ESPÍRITO SANTO

Na primeira noite da grande cruzada, havia uma garoa constante. Ainda assim, as pessoas vieram, e o local ficou superlotado. Muitos estavam esperando um milagre de Jesus, e muitos deles teriam um encontro do qual jamais se esqueceriam. O culto foi lindo, embora tivéssemos de ensinar praticamente todas as canções. Todos levantavam as mãos quando eram convidados a fazê-lo, e as vozes encheram o lugar. A adoração foi verdadeiramente bela. Lágrimas saltam dos meus olhos sempre que eu me lembro daquela noite. Eu estava completamente entregue a Deus em adoração quando, de repente, os gritos de uma mulher interromperam a reunião. Ela estava de pé à esquerda da plataforma. No início, pensei que ela quisesse interromper a reunião; desejoso de restaurar a ordem da melhor maneira, chamei um dos membros da equipe para ver o que estava acontecendo. Depois ouvi claramente que a mulher gritava: "Eu era cega! Eu era cega! Eu era cega!".

Lá estava Jesus outra vez. Ele atuara conforme sua vontade. Curara aquela mulher sem pedir permissão a ninguém. Ele não esperara por um momento predeterminado. Não seguira regras, nem mesmo me disse o que ele estava fazendo. Ele simplesmente agiu! Essa mulher que nem sequer havia tido um encontro de salvação com Jesus havia recuperado sua visão de modo instantâneo. Jesus a curara.

Ela provavelmente desconhecia quaisquer formalidades religiosas, portanto não esperou por um momento específico para compartilhar o milagre que recebera. Simplesmente aconteceu enquanto ela adorava o Senhor. Uma luz apareceu em sua frente, e ela orou: "Meu olho! Jesus, meu olho!". Em seguida, sentiu um fogo em seu olho cego e imediatamente pôde ver novamente. O Coliseu inteiro irrompeu com gritos de louvor, dando ao Senhor Jesus toda a honra e glória.

O PODER DA UNÇÃO

É impossível ministrar sem ter unção. Quando o Espírito de Deus desce, toda a atmosfera muda, acontecem coisas que jamais ocorreriam se ele não se manifestasse. Certa vez, disse um homem de Deus: "Não consigo definir unção, mas sei exatamente quando ela está presente e quando não". Outro pastor definiu a unção como "o poder manifesto de Deus".

De fato, praticamente todas as definições dadas são bastante similares. Eu creio que a unção é o poder do Espírito Santo na vida de uma pessoa cujo propósito é realizar a ação sobrenatural de Deus. Na verdade, não se trata de como a definimos, mas de como a recebemos. O que importa não é aprender sobre a unção, mas, sim, aceitá-la. A parte difícil não é receber, mas reter.

Muitas pessoas têm orado durante toda a vida a fim de poder experimentar a unção e confessam com sinceridade que não a provaram ainda, ou pelo menos admitem que não têm tido resultados tangíveis. Outras tiveram uma experiência sobrenatural e receberam a unção, mas não souberam retê-la. Outros vão a todo tipo de congressos e palestras em muitas igrejas buscando renovar sua própria experiência, porque

EM HONRA AO ESPÍRITO SANTO

foram incapazes de reter a unção em sua caminhada pessoal e em seu ministério. Piores são os que pensam que ter unção significa estar emocionalmente tocado ao pregar, gritar ou esgoelar-se e vociferar.

A unção não tem nada a ver com o estilo pessoal de fazer algo. Trata-se da essência do poder do Espírito Santo manifesto na vida de uma pessoa. Não é uma pomba agitando as asas, tentando entrar na sua vida e sobrevoando-o como por mágica ou truque. A unção vem e permanece sobre a pessoa quando ela busca Deus e seu poder de forma genuína e persistente. A Bíblia diz em Salmos 105.4,5:

> Recorram ao SENHOR e ao seu poder;
> busquem sempre a sua presença.
> Lembrem-se das maravilhas que ele fez,
> dos seus prodígios
> e das sentenças de juízo que pronunciou.

Precisamos buscar Deus como uma *pessoa*, ou seja, como alguém com quem podemos desfrutar de um relacionamento íntimo. Devemos buscar sua face e seu poder da mesma forma. Se você ler bem o texto bíblico anterior, observará que o salmista lembra as pessoas das maravilhas e dos milagres do Senhor. Além disso, ele as exorta a buscarem sua face e seu poder, caso desejem vê-los manifestos. Até mesmo a palavra revelada — o que alguns chamam de *rhema*, ou seja, a palavra dada a uma pessoa específica, para um

A unção é a essência do poder do Espírito Santo manifesto na vida de uma pessoa.

Desperto e ainda estou contigo

propósito específico, em um momento específico — nos será dada se buscarmos sua presença, uma vez que se trata da única forma em que podemos ouvir sua voz, revendo sua vontade em dado momento.

Ser ungido não é uma questão de acaso ou acidente. A unção é para os que buscam o Senhor, sua face e seu poder. Você a sentirá sobre sua vida como resultado direto de buscar com persistência, paixão e sinceridade a presença de Deus. Se é verdade que Jesus pagou o preço na cruz do Calvário e podemos ter essa experiência pela graça de Deus, também é verdade que ele nunca a dá àqueles que não a valorizam. Na verdade, alguns chegaram a perder essa graça por algum motivo.

Se você está lendo este livro, é porque deseja de todo o coração receber essa unção do Senhor, retê-la e permitir que cresça no seu interior e ministério. Meu amigo, há algo mais do que a unção, e é isso que quero mostrar a você a seguir.

2

Além da minha compreensão

Alguns anos atrás, a minha mulher e eu fomos a um retiro de casais. Dois amigos com quem dividimos um chalé conversaram conosco sobre temperamentos que os psicólogos descrevem como características tipicamente presentes desde o nascimento. De acordo com esses estudos, há quatro temperamentos básicos, que são: sanguíneo, colérico, melancólico e fleumático. Enquanto nos explicavam cada um deles, identifiquei o meu próprio temperamento como uma combinação de dois tipos.

Naquela época, eles nos deram um teste para identificar nosso perfil de personalidade, e os meus pensamentos se confirmaram: dois deles eram dominantes em comparação com os demais. Quando ouvi sobre as vantagens de cada um, fui encorajado a ler sobre os traços positivos, mas fiquei desapontado ao conhecer um pouco mais sobre os pontos negativos e pensei: "Com características assim, nunca chegarei a lugar algum".

Naquela noite, não consegui dormir, pensando que toda a minha vida seria ofuscada pelas fragilidades do meu temperamento. Eu desejava servir ao Senhor com toda a força que vem dele, não com a minha. Não queria me orgulhar por obter êxito por minhas habilidades naturais, nem desejava terminar frustrado em razão das minhas desvantagens de temperamento.

Perguntei a mim mesmo que papel o Espírito Santo teria na nossa vida se vivêssemos de acordo com nosso temperamento. Se eu aceitasse que minhas fraquezas humanas jamais seriam vencidas ou se eu buscasse me esconder atrás da minha personalidade, o Espírito Santo não teria espaço para me transformar.

Imaginei o dia em que teria de prestar contas a Deus, tentando dar desculpas com base no meu tipo de personalidade, dizendo a Deus que essa teria sido a razão por eu não ter feito coisas que deveria ter feito. Como poderia dizer a Deus que eu não fizera o que ele me ordenara porque eu tinha tido medo da minha natureza, ou tinha tido dificuldades para perdoar outros porque meu temperamento era o de uma pessoa que tende ao ressentimento? Como lhe diria que alcancei todos os meus alvos, mas à custa de pisar em todas as outras pessoas? Como poderia lhe dizer que me distraí pelo caminho, porque meu temperamento dificilmente permitia que eu terminasse o que havia começado? Isso tudo era inconcebível na minha cabeça; por isso, recusei viver dessa maneira.

Em seguida, tomei a decisão que seria uma das mais importantes da minha vida. Decidi submeter o meu

Além da minha compreensão

tipo de personalidade à obediência do Espírito Santo. Entendi que, se eu estivesse predisposto a depender somente das minhas forças e fraquezas, pontos fortes e pontos fracos, eu viveria pela força da carne e não dependeria do Espírito Santo — nem mesmo o buscaria — que me capacita a dar frutos. Eu assumiria, dessa forma, que as minhas fraquezas não estariam corretas e que uma obra de transformação não seria possível. Portanto, acreditei que o fruto produzido pelo Espírito Santo na minha vida, incluindo o amor, a paciência, a mansidão ou temperança, de fato todos eles, seriam capazes de vencer qualquer fraqueza de tipo de personalidade que eu tivesse. Portanto, sempre que olhava para a realidade de uma das minhas fraquezas, eu rendia essa área da minha vida a Deus. Quando apresentava a ele minhas fragilidades, ele nunca me rejeitou, dizendo: "Você não fará isso, porque tem a tendência de se distrair", ou "Não posso escolher você para esta grande obra, porque o seu tipo de personalidade nunca termina o que começa".

Anos mais tarde, refiz o teste e, segundo o resultado, os quatro temperamentos estavam em equilíbrio. Esse é o fruto de ter submetido o meu comportamento todos os dias ao Espírito Santo, a fim de formar novos hábitos que vencessem muitas das minhas fraquezas. Foi maravilhoso confirmar que o Espírito Santo é capaz de nos ajudar em nossas fraquezas e nos tornar as pessoas que ele deseja!

O Senhor nos ensina na parábola dos talentos sobre um homem que procura justificar-se diante do dono por

EM HONRA AO ESPÍRITO SANTO

Foi maravilhoso confirmar que o Espírito Santo é capaz de nos ajudar em nossas fraquezas e nos tornar as pessoas que ele deseja!

ter enterrado o talento que este lhe havia confiado. Ele diz: "Tive medo", cujo significado era que ele estava dominado, não pelo adultério, nem pela prostituição, nem por um estilo de vida obsceno, mas simplesmente pelo medo.

Você não tem que cometer atos de luxúria, heresia, adultério ou prostituição para ser carnal. É suficiente que permita que a sua natureza caída tome conta de sua vida. Se você tenta servir a Deus fundamentado em sua natureza humana, acabará dando desculpas por suas falhas e fraquezas. Se você diz que o seu tipo de personalidade é sua única força e sua única debilidade, onde entra o poder do Espírito em sua vida? Esse tipo de conversa só confirma que você está vivendo conforme a sua força.

Não posso negar a existência dos temperamentos. De fato, nós os estudamos em casa para entender melhor e educar adequadamente os nossos filhos. Minha esposa, Sonia, usou esse material em algumas ocasiões de ensino. Ainda assim, tenho certeza de que o Senhor não teria cumprido a obra que tem no nosso ministério se eu não tivesse submetido a fraqueza da minha natureza carnal ao Espírito Santo. Em vez de justificar os temperamentos com um tipo de personalidade, eu decidi submetê-los em obediência ao Senhor.

PODER QUE TRANSFORMA

Certa vez, conversava com o meu sogro, que tinha se tornado um grande amigo meu, e ele me contou a seguinte história:

Além da minha compreensão

> Um dia, os líderes de uma igreja estavam no processo de decidir convidar alguém para ministrar em uma de suas reuniões. Um deles, já velho, insistia em convidar um jovem que tivesse demonstrado ter a unção de Deus em sua vida e por meio de quem Deus tivesse realizado sinais, maravilhas e milagres. Foi tão insistente que outro membro do grupo ficou bravo e disse: "Por que essa pessoa precisa ser esse jovem? Do jeito que você fala, é como se ele tivesse o domínio do Espírito Santo". A isso, o mais velho respondeu: "Certamente que não, mas o Espírito Santo definitivamente tem total domínio sobre ele".

Depois de compartilhar comigo essa história, meu sogro concluiu, dizendo: — Você nunca terá o controle do Espírito Santo, mas pode buscar ser aquele jovem de quem o Espírito Santo tinha total controle.

Muitas pessoas gostariam de ser usadas pelo Senhor para poder transformar a vida de outras, mas poucas desejam ser transformadas por ele. Não tenho dúvidas de que você está lendo este livro porque se interessa pelo tema da unção, mas devo lembrar de que um dos adjetivos mais usados para descrevê-la é "sua santa unção". A unção que transforma somente descerá sobre pessoas que desejam ser transformadas, não apenas sobre aqueles que desejam ser usados para transformar outros. Devemos entender que a santidade é a base de fé que temos na graça de Jesus Cristo, que é capaz de nos santificar.

É errado interpretar a santidade como um comportamento perfeito, livre de defeitos e erros. Não é como

EM HONRA AO ESPÍRITO SANTO

A unção que transforma somente descerá sobre pessoas que desejam ser transformadas, não apenas sobre aqueles que desejam ser usados para transformar outros.

de fato acontece. Viver em santidade significa render nossa vontade para cumprir a ordem que Deus nos dá e que nos transforma mais e mais a cada dia. Se o Senhor toma barro em suas mãos para fazer um vaso, a partir do momento que o faz, já é santo, porque a palavra "santo" significa "separado para ele". É Deus quem separa o barro para moldá-lo. Algumas pessoas acreditam que precisam ser perfeitas para que Deus as unja. Isso não acontece com nenhuma personagem bíblica. Não havia profeta nem apóstolo nas Escrituras que fosse perfeito, e hoje certamente tampouco. Mas há aqueles que consagraram sua vida a uma constante transformação, como o barro nas mãos do oleiro.

Quando o poder de Deus se manifesta na minha vida, algumas pessoas podem pensar que sou perfeito, mas isso não é verdade. Estou longe de alcançar a perfeição; no entanto, algo que faço é consagrar minha vida a Deus cada dia para que ele possa continuar me transformando.

Em Salmos 139.1-6, lemos:

SENHOR, tu me sondas e me conheces.
Sabes quando me sento e
    quando me levanto;
de longe percebes os meus pensamentos.
Sabes muito bem quando trabalho
    e quando descanso;
todos os meus caminhos
    são bem conhecidos por ti.

Além da minha compreensão

Antes mesmo que a palavra
   me chegue à língua,
tu já a conheces inteiramente, SENHOR.

Tu me cercas, por trás e pela frente,
e pões a tua mão sobre mim.
Tal conhecimento é maravilhoso demais
   e está além do meu alcance;
   é tão elevado que não o posso atingir.

Não podemos ser transformados se estamos separados da presença de Deus. Deus nos enche, esperando que nos tornemos transmissores de sua santa unção aonde quer que formos. Ele nos dá seu Espírito Santo porque somos santos, mas também para nos santificar. Sem a presença dele, é impossível alcançar a santidade.

Quando li esse salmo pela primeira vez, entendi que os pensamentos, as palavras, o comportamento, o deitar e o despertar do homem aqui retratado eram perfeitos, e que Deus o cercara por essa razão. No entanto, ao meditar em sua Palavra e depois de passar anos em sua presença, entendi que estava errado. Medite nessas palavras por um momento. O salmista diz:

Tu me cercas, por trás e pela frente,
e pões a tua mão sobre mim.
Tal conhecimento é maravilhoso demais
   e está além do meu alcance;
   é tão elevado que não o posso atingir.

Se esse homem fosse perfeito em todas as suas atitudes, pensamentos e emoções, a presença de Deus

EM HONRA AO ESPÍRITO SANTO

teria sido completamente natural para ele; ele teria sentido que merecia tal privilégio, mas não era o caso. Creio que o homem pensava exatamente da maneira oposta. Ele sabia que, não importava quão bom e justo pudesse ser seu comportamento, jamais seria suficiente para experimentar a presença de Deus, e é por isso que ele se declara indigno. Suas palavras bem poderiam ser: "Senhor, como podes me cercar com tua presença e pôr tua mão sobre mim, conhecendo-me como só tu podes me conhecer? Sabes que não sou o melhor dos teus filhos. Sabes que os meus pensamentos nem sempre são bons e que o meu comportamento está longe de ser perfeito".

UM ENCONTRO ÍNTIMO

Caro amigo, o Senhor conhece suas palavras antes mesmo que as pronuncie. Ele conhece o seu coração e cada detalhe do seu ser e, ainda assim, repousa suas mãos sobre você e o escolheu para o cercar com sua presença. Não é esse conhecimento maravilhoso e incompreensível? Ele não espera até que você seja perfeito para protegê-lo; em vez disso, ele o cerca para tornar você melhor. Você não precisa ser santo para recebê-lo. A presença de Deus o ajuda a se tornar santo como ele é santo.

> Você não precisa ser santo para recebê-lo. A presença de Deus o ajuda a se tornar santo como ele é santo.

Por que creio nisso? Porque nos versículos seguintes desse salmo o escritor diz:

Para onde poderia eu escapar
   do teu Espírito?
Para onde poderia fugir da tua presença?
Se eu subir aos céus, lá estás;
se eu fizer a minha cama na sepultura,
   também lá estás.
Se eu subir com as asas da alvorada
   e morar na extremidade do mar,
mesmo ali a tua mão direita me guiará
   e me susterá (v. 7-10).

Agora pergunto: Por que um homem tão justo foge da presença de Deus? Poderíamos pensar que essa presença o fizesse sentir-se indigno? No meu caso, os onze anos durante os quais orei e pedi pela unção divina não se comparam em nada com o que recebi e tenho agora. Seu desejo em me dar sua unção ultrapassou o meu maior desejo de obtê-la. O tempo que gastei orando nunca se comparará ao preço que Jesus pagou na cruz. Deus deseja dar a você tanto que qualquer coisa que fizer sempre será inferior ao desejo dele de o ungir. A unção que você recebe do Senhor não é o produto de algo que você fará para obtê-la, mas, sim, do intenso desejo dele para que você a receba. Trata-se de um tesouro cujo valor é indescritível. Ele dará a unção somente se você a desejar e a apreciar.

Deus deseja cercar você e o buscará onde quer que seja. Não importa quantas vezes tente se esconder ou fugir dele. Não há nenhum lugar secreto onde ele não possa encontrar você. Deus literalmente o possui para o transformar. Se você deseja a unção divina na sua vida e no seu ministério, a primeira coisa que precisa fazer é permitir que sua presença flua da cabeça aos pés e de dentro para fora.

Você precisa ser sensível e permitir que a presença do Senhor molde sua vida a fim de que a unção o leve a ajudar outros nesse processo de transformação. Não existe nada mais incrível do que deixar o Espírito Santo trabalhar em nós e nos transformar.

O profeta Isaías experimentou a transformação na presença de Deus antes de ser capaz de dizer: "Eis-me aqui. Envia-me!". Sua boca, sua língua, todo o seu ser foi mudando diante da glória do Senhor. Foi em sua presença que ele se sentiu como um homem morto e que teve seu pecado revelado.

Aqui vemos novamente o processo: a presença de Deus cercou Isaías, e um ser angelical veio do trono de Deus com uma brasa viva para transformá-lo. Deus não veio até ele por este ter uma conduta perfeita, mas para que ele se tornasse perfeito.

As pessoas transformadas pelo Senhor são pessoas de oração que mantêm comunhão e intimidade com ele. Elas não apenas estudam a Palavra, mas também investem tempo em sua presença. Aquele que busca a Deus a ponto de que seu coração, suas palavras e seus pensamentos sejam avaliados, reconhecendo sua própria necessidade de ser moldado e renovado, este é o que provará uma transformação mais profunda do Espírito.

Se você não desejar que o Espírito de Deus mude a sua vida, então não o conhecerá em profundidade.

Além da minha compreensão

Talvez tenha conhecimento teórico sobre o Espírito Santo, mas não chegará a conhecê-lo intimamente. Quando a sua vida é transparente diante dele, você se submete a uma mudança radical na maneira de pensar, de falar e de agir, além de experimentar em primeira mão a manifestação de sua verdadeira natureza.

> As pessoas transformadas pelo Senhor são pessoas de oração que mantêm comunhão e intimidade com ele.

Quanto mais transparente for diante de Deus no seu interior, mais ele se revelará a você. Quanto mais abrir o coração para Deus, mais ele se abrirá para você, porque as Escrituras afirmam: "Aproximem-se de Deus, e ele se aproximará de vocês!" (Tiago 4.8).

Esse é o tipo de oração que permite contemplar Deus em toda a sua majestade. É uma oração que realmente transforma, não a do tipo que fica apenas repetindo palavras em vão. A verdadeira mudança começa quando você se inclina aos pés de Deus e diz: "Senhor, eu sou uma pessoa de coração duro e tu sabes disso. Eu não posso ocultar isso de ti". Ao vir à presença dele e dizer: "Senhor, tu conheces a minha vida, sabes o que eu faço, sabes cada palavra que digo; aqui estou, muda-me", então é aí quando você abre a vida para uma transformação que gradualmente o levará a um conhecimento íntimo do Espírito Santo. Ele busca intimidade com aqueles que demonstram o desejo de encontrá-lo.

Embora pareça difícil de acreditar, você não deveria apenas pensar quanto o deseja, mas também em quanto ele deseja você. É por isso que as Escrituras ensinam que o Espírito Santo tem ciúmes de nós.

EM HONRA AO ESPÍRITO SANTO

Eu me lembro de uma ocasião quando pedi ao Senhor que se manifestasse e derramasse seu poder durante as nossas reuniões e tocasse as pessoas. Eu sempre oro para que isso aconteça. Mas um dia o Espírito Santo me disse: "Hoje eu vou derramar o meu poder não porque as pessoas me desejam, mas porque eu quero fazer isso". E acrescentou: "Muitos ensinam que as pessoas devem anelar por mim, mas poucos realmente entendem quanto eu os desejo. Quando duas pessoas estão em comunhão, o desejo é mútuo; e não há maior desejo do que aquele que eu tenho por vocês". Buscar o Espírito é o começo de uma relação incrível entre você e ele.

Se ele nos deseja tanto a ponto de expressá-lo por escrito, por que não aproveitamos esse fato e o desejamos também? Trata-se de uma busca e de um desejo de mão dupla que produzirá um relacionamento maravilhoso: o amor que lhe damos e que recebemos dele.

Caro leitor, embora você possa ser uma pessoa bem-sucedida, um bom aluno, um grande homem de negócios ou profissional de renome, também precisa alcançar êxito espiritual. Ver a glória de Deus refletida na sua vida é o maior dos êxitos. Nada pode se comparar a isso. Busque-o de todo o coração!

3

Ele é alguém,
não algo!

Certa noite, acordei de repente às 3 da manhã, chorando sem parar. Eu tinha dormido, pensando em como explicar as manifestações do poder de Deus àqueles que pudessem me perguntar. Quando a presença de Deus se manifesta, coisas incomuns acontecem. Por exemplo, alguns caem no chão ou tremem diante do poder divino derramado sobre eles. É difícil entender a razão das dúvidas e perguntas daqueles que observam tais acontecimentos, uma vez que nós, seres humanos, estamos acostumados a ver nosso corpo reagir a algo físico, tal como a anestesia. O efeito de estímulos naturais ou químicos é prontamente aceito por nossa mente e, mesmo assim, é tão complicado compreender os efeitos advindos do poder do Espírito Santo. É com muita tristeza que vejo alguns cristãos envergonhados por tais manifestações de poder. Eles se sentem tão confusos que chegam a ponto de tentar esconder isso a fim de que outras pessoas não se sintam constrangidas ou com medo.

EM HONRA AO ESPÍRITO SANTO

Nessa noite, acordei chorando. Não o fazia por tristeza ou gratidão, mas, sim, por causa de uma impressão que inundava o meu coração. Não sabia a origem desse sentimento, mas podia sentir a presença do Espírito Santo diante de mim, dizendo: "Aonde quer que você vá, diga ao meu povo que eu os amo exatamente como são, com suas virtudes, fraquezas, defeitos e fragilidades". Depois disso, houve um momento de silêncio e eu comecei a chorar mais intensamente, sabendo que ele ainda não tinha terminado de falar comigo. De fato, continuou: "Quero que lhes diga que também me aceitem como eu sou, não como eles desejariam que eu fosse, porque não posso mudar nem negar como sou".

Em seguida, minha mente foi inundada de imagens de encontros que eu havia ministrado. Eu via o Espírito Santo aproximando-se de uma pessoa que não podia aguentar sua presença santa e que desatou a chorar. Depois vi o Espírito se aproximando de outra pessoa que estava simplesmente rindo alto porque uma alegria sobrenatural fluía dele. Outro tremia, incapaz de suportar um poder tão grande. Conforme o Espírito se aproximava das pessoas, estas reagiam sob o efeito desse poder. Outras, na mesma reunião, ficaram cada vez mais incomodadas e agitadas, criticando tais manifestações. Depois senti como se ele estivesse me olhando e dizendo com delicadeza: "O que você deseja que eu faça? Eu sou exatamente assim!".

Foi aí que entendi que é impossível apertar a mão de um campeão peso pesado sem sentir a força de uma mão que é mais forte do que o normal, mesmo que para

Ele é alguém, não algo!

ele se trate de sua força natural. Ele não pode evitar apertar a mão de outra pessoa com muita força porque é assim que ele é. Tentar evitar as manifestações do Espírito Santo seria como tentar se aproximar de uma flor sem sentir seu aroma, ou navegar sem se molhar, ou passar a mão pelo fogo achando que não vai se queimar. Essas coisas são inevitáveis porque a natureza desses elementos não pode ser negada. Da mesma forma, o Espírito Santo não pode negar sua natureza só porque alguns não entendem sua natureza. Se ele é capaz de nos aceitar apesar de como somos, com nossas faltas e fraquezas, então também deveríamos aceitá-lo como ele é. Ele é perfeito!

Sua presença é poderosa e não podemos evitar senti-la quando ele está por perto ou nos toma. Querer evitá-la é tão ingênuo quanto pôr o dedo numa tomada elétrica e imaginar que a corrente não tomará conta de todo o seu corpo. A eletricidade provoca uma reação no nosso corpo mesmo que não saibamos ou entendamos como funciona. A mesma verdade pode ser dita sobre as manifestações do poder de Deus e de como causam um efeito no nosso corpo mesmo quando não as compreendemos.

O Espírito Santo nunca perderá uma oportunidade de se manifestar mesmo em meio ao seu medo ou surpresa. Se o fizesse, não seria ele mesmo. Imagine se houvesse grupos religiosos que não praticassem a imposição de mãos porque alguns, ao cair no chão, talvez causassem espanto nos novos membros. Com essa atitude, Jesus jamais teria sido capaz de levantar Lázaro dentre os mortos ou de andar sobre as águas.

EM HONRA AO ESPÍRITO SANTO

Imagine se os discípulos pedissem a ele para ser mais discreto quando cuspiu no barro e depois fez uma pasta e colocou-a nos olhos de um cego, ou quando multiplicou os pães e os peixes, porque tudo isso era um escândalo. Talvez eles dissessem: "Cuidado, Jesus! Lembre-se de que eles o querem fazer rei. Eles pensam que o Senhor é um político e por isso dá comida às pessoas. Não acha que deveríamos desenvolver este ministério de modo mais discreto?". Eu não ousaria sugerir tal coisa a Jesus nem ao Espírito Santo. Ele é o Senhor; nós somos apenas seus servos. Eu prefiro falhar a tentar limitar seu poder.

O Espírito Santo não pode negar a si mesmo. Nós é que precisamos aprender a conhecê-lo e a aceitá-lo como ele é, não como preferiríamos que fosse. Dessa forma, nós o reconheceremos em dado momento. Devemos pedir perdão a Deus se temos criticado o Espírito Santo com nossa mente limitada e pequena. Não tente entender o poder de Deus que se manifesta de maneiras tão incomuns, como ao abrir o mar Vermelho, ao fazer cair os muros de Jericó ou ao ressuscitar mortos. Não devemos esperar que o Espírito Santo aja e pense como ser humano porque ele não é um de nós — ele é o próprio Deus! Devemos respeitar e amar sua personalidade a fim de podermos nos relacionar e ter comunhão com ele.

A TERCEIRA PESSOA

Quem é a terceira pessoa da Trindade? Sempre que faço essa pergunta, as pessoas me dizem que é o Espírito Santo, porque foi isso que aprendemos desde pequenos.

Ele é alguém, não algo!

É verdade que o Espírito Santo é uma das três pessoas que formam a Trindade, mas ele não necessariamente ocupa o terceiro lugar. Nenhuma passagem bíblica diz tal coisa.

Mesmo assim, na cabeça de muita gente, o Espírito Santo vem em terceiro lugar porque temos uma ideia equivocada gravada na mente. O problema de ser "a terceira pessoa" é que ninguém presta atenção naqueles que estão em terceiro lugar de nada. Basta perguntar quem ganhou uma competição, e muitos provavelmente se lembrarão somente do vencedor. Alguns talvez se lembrem do segundo colocado, mas muito poucos, se é que alguém, se lembrarão do terceiro lugar.

O Espírito Santo não ocupa o terceiro lugar na Trindade. Ele é tão importante como o Pai e o Filho, uma vez que os três são um. Quando dizemos que o Espírito Santo é a terceira pessoa da Trindade, nós automaticamente o relegamos ao terceiro lugar em importância quando na verdade não é o caso. Você não pode ter um bom relacionamento com o Espírito Santo se não lhe tributa a importância que ele merece. A sua comunhão com ele será muito melhor se o tratar como a pessoa divina que ele é.

Em geral, quando ouvimos sobre o Espírito Santo, nós pensamos em objetos que procuramos associar com ele, como se ele fosse "algo", não "alguém". Pensamos nele como uma pomba porque essa foi a forma visível com a qual se manifestou no batismo de Jesus, ou pensamos nele como fogo porque nos lembramos das

EM HONRA AO ESPÍRITO SANTO

línguas como chamas de fogo sobre os discípulos no dia de Pentecoste. Mas o Espírito Santo não é uma pomba nem fogo. Ele é uma pessoa da Deidade com a qual você tem um relacionamento pessoal. Ele tem o poder de nos enlevar como o vinho, mas não é o vinho; ele unge com óleo, mas não é o óleo; ele é gentil como uma brisa, mas não é o vento; ele nos enche com rios de água da vida, mas ele não é a água. O Espírito Santo é uma pessoa divina, não humana ou natural.

Ele fala conosco, escuta, ensina, deseja estar conosco. Ele guia, ele nos faz recordar a Palavra, ele nos santifica e intercede por nós. Ele pode ser resistido e eliminado; ele pode ser contrariado ou entristecido. Nós não podemos estudá-lo sistematicamente, porque não podemos explicar uma pessoa como o fazemos com um mero conceito. Por exemplo, seria inútil tentar estudar todas as qualidades da minha esposa sem me relacionar com ela. Do mesmo modo, seria inútil tentar entender tudo sobre o Espírito Santo se não me alegro com sua presença. Ele é sobrenatural. Mais do que estudá-lo, precisamos conhecê-lo; para fazer isso, devemos nos tornar mais íntimos dele.

Ser batizado no Espírito Santo e falar em outras línguas não significa que você automaticamente o conhece. Conhecer todos os seus atributos e qualidades não necessariamente leva a uma maior intimidade. O fator tempo é essencial para manter um relacionamento, assim como fazemos com qualquer outra pessoa para conhecê-la. O mais importante na nossa vida deveria ser andar na presença de Deus. Sua companhia vale mais do que qualquer coisa no mundo. Por esse motivo, o Senhor nos deu seu Espírito Santo para nos acompanhar aonde formos. É ele quem nos dá o poder de Deus.

A IMPORTÂNCIA DO ESPÍRITO SANTO

A Bíblia revela a importância do Espírito Santo na Criação, nos livros Proféticos, na vida de Jesus e no surgimento da igreja primitiva. Foi ele quem gerou Jesus no ventre de Maria. Sua unção foi a primeira coisa dada a João Batista quando ambos, ele e Jesus, ainda eram embriões. Isabel sentiu o bebê saltar de alegria no útero e ficou cheia do Espírito Santo ao ouvir a voz de Maria. Jesus sequer havia nascido quando o Espírito Santo já tinha se manifestado por meio dele. A primeira declaração registrada do que João disse sobre Jesus foi que ele batizaria com o Espírito Santo e com fogo. No dia seguinte, João acrescentou: "Vejam! É o Cordeiro de Deus, que tira o pecado do mundo!", cujo significado era que o batismo no Espírito é tão importante quanto a redenção dos nossos pecados. João Batista reconheceu que Jesus era o Messias porque ele sabia que o Espírito Santo descera como uma pomba sobre sua cabeça e permanecera sobre ele.

Ao ser batizado nas águas, Jesus ouviu a voz do Pai celestial e viu o Espírito Santo vir sobre ele na forma de uma pomba. Logo depois, lemos em Lucas 4.1 o que aconteceu: "Jesus, cheio do Espírito Santo, voltou do Jordão e foi levado pelo Espírito ao deserto". Depois de ir para o deserto e superar as tentações, lemos em Lucas 4.14: "Jesus voltou para a Galileia no poder do Espírito, e por toda aquela região se espalhou a sua fama". Ou seja, a fama de Jesus cresceu por causa do poder do Espírito Santo.

Durante o ministério de Jesus, ele curou os doentes e as enfermidades porque o Espírito o ungira. Ele declarou aos fariseus que, se pelo Espírito ele expulsara demônios, então o Reino de Deus estava próximo deles. Você se lembra de qual foi o tema da primeira pregação de Jesus na sinagoga? Isso mesmo: sobre o Espírito Santo!

Durante a última ceia, no dia em que seria preso, Jesus deu instruções a seus discípulos. Muitos deles estavam prestes a conhecer a ação do Espírito, incluindo o fato de que Jesus lhes assegurou que melhor seria partir para que o Consolador pudesse vir e habitar neles. Quando Jesus morreu, ele se ofereceu através do Espírito eterno e ressuscitou por esse mesmo poder.

Antes de subir aos céus, ele apareceu a seus discípulos durante um período de 40 dias, dando-lhes orientações e assegurando-lhes da promessa do Pai de batizá-los logo depois no Espírito Santo.

No dia de Pentecoste, eles ficaram cheios do Espírito, como com línguas de fogo que pousavam sobre cada um deles. Naquele momento, o apóstolo Pedro levantou e pregou a primeira mensagem da história da Igreja cristã. Qual foi o tema do sermão? O Espírito Santo! Ele disse:

> "Homens da Judeia e todos os que vivem em Jerusalém, deixem-me explicar isto! Ouçam com atenção: estes homens não estão bêbados, como vocês supõem. Ainda são nove horas da manhã! Ao contrário, isto é o que foi

Ele é alguém, não algo!

predito pelo profeta Joel: 'Nos últimos dias, diz Deus, derramarei do meu Espírito sobre todos os povos' " (Atos 2.14-17a).

Em seguida, ele falou de Jesus como alguém enviado por Deus para salvar o mundo. Durante a mensagem, algumas pessoas cujo coração estava contrito aceitaram Jesus como Salvador e imediatamente receberam a dádiva prometida por Deus: o Espírito Santo.

Sua presença foi a coisa mais importante na igreja primitiva. Lemos inúmeras vezes no livro de Atos como o Espírito Santo se manifestou. Eles oraram para que todos fossem batizados no Espírito Santo. Ministravam em seu poder; o estar cheio do Espírito Santo era, inclusive, um requisito para a função de diácono. No entanto, hoje em dia, o oposto é o comum. Temos menosprezado sua importância e ele está entre os últimos itens dos assuntos das nossas reuniões. O Espírito só parece ser importante nas vigílias de oração, nos batismos e na distribuição dos dons. Isso não está certo. Devemos voltar aos princípios antigos, ao caminho tomado por Jesus e seus discípulos, no qual sua presença foi a primeira realidade em ser reconhecida.

Se você tem desprezado a importância do Espírito Santo na sua vida, deveria pedir perdão a Deus. Se está cada vez mais frio e tem adotado uma atitude indevida em relação a Deus e ao Espírito, é hora de voltar-se para ele.

Não há motivo para se afastar do Senhor; você não ganha nada se afastando dele e da presença do Espírito

Santo. A chave para cada mover de Deus é entender e acreditar na importância do Espírito Santo como a pessoa divina que ele é e que você anda de acordo com essa convicção.

Seja honesto com você mesmo e razoável nas suas atitudes. Deus nunca faz nada de errado com você a ponto de que o queira abandonar. Pelo contrário, ele tem tido paciência mais do que suficiente com você e o tem abençoado, amado e defendido. O Espírito Santo está sempre com você e é seu Consolador. Ele o unge e enche com seu poder e força.

COMUNHÃO E INTIMIDADE

Faz algum tempo, quando eu ainda era solteiro, passei por uma grande dificuldade financeira. Por isso, tive de interromper a faculdade e só consegui terminá-la anos mais tarde. Na época, por motivos alheios, fiquei sem lugar onde morar. No dia em que estava para deixar a casa onde morava, sem saber aonde ir e onde dormiria naquela noite, eu disse a Deus: "Vou para a igreja adorar-te, sem me preocupar onde vou dormir, porque sei que tu me darás um lugar".

Eu adorei ao Senhor com todo o meu coração naquela noite durante a reunião, e a paz de Deus dominou meu coração. No final do culto, um amigo veio até mim e me convidou para jantar na casa de sua avó. A primeira coisa que me veio à mente foi: "Deus já providenciou um lugar para eu comer". Depois da comida, meu amigo me disse que eu poderia ficar em

Ele é alguém, não algo!

sua casa, mas o único lugar que tinham disponível era um quarto pequeno e um tapete. Eu pulei de alegria por ter um teto onde passar aquela noite! Enquanto nos despedimos de sua avó, ela me disse que tinha algo para me mostrar e me levou a um depósito no fundo da casa; aí me mostrou uma cama dobrável, parecida com um berço. Ela me perguntou se eu a queria, pois assim não teria que dormir no chão. Eu prontamente disse que sim, com muita gratidão no meu coração. Mesmo estando um pouco mofada e cheirando a coisa guardada, com um pouco de limpeza estaria perfeita. Foi exatamente nesse momento que eu senti que comecei a prosperar em Deus! Ele não me deixou dormir no chão e me deu uma cama. Eu entendi naquela ocasião que, mesmo que pudesse comprar a melhor cama do mundo, não poderia comprar o sono e o descanso que somente o Senhor poderia me dar.

Para muitas pessoas, esse tipo de solidão pode ser letal; podem estar cheias de tristeza e perder tempo reclamando. No meu caso, porém, o tempo que eu poderia gastar com Deus naquele quarto foi algo para olhar para a frente.

Naquela época, Sonia e eu já estávamos noivos. Eu a visitava todos os dias depois do trabalho e daí me dirigia para a casa do meu amigo, onde eu estava morando. Lembro-me muito bem da hora em que eu costumava ir para casa, porque era o mesmo horário em que iniciava uma programação em inglês na estação de rádio local. Eu aproveitava o longo percurso até a casa para adorar e meditar na Palavra de Deus por meio do programa de rádio. O que eu mais esperava era voltar àquele pequeno quarto e desfrutar sozinho da presença de Deus.

Um amigo emprestou-me um violão muito peculiar. Menor do que o normal e com uma corda faltando. As cinco cordas restantes estavam desafinadas. Como não sou músico, eu não sabia como afinar o instrumento, mas isso não me importava. Portanto, era naquele pequeno quarto, com um violão desafinado e uma voz fora de qualquer tonalidade, que eu aproveitei ao máximo meu tempo a sós para adorar a Deus, sem saber que ele estava me preparando para caminhar com ele em poder. Foi nesse tempo com ele que aprendi a buscá-lo.

Por meio dessa experiência, aprendi que, se o Espírito Santo está conosco, nunca estamos sozinhos. Como deve ser triste para ele, mesmo sendo a nossa companhia, ouvir a nossa reclamação de como nos sentimos sós! Se ele está com você, então nunca deveria reclamar nem mesmo sentir-se só.

Foi assim que eu comecei a conhecer o Espírito Santo de forma profunda. Naquele estado de solitude aprendi a conhecer aquele que pode todas as coisas. Eu meditava, orava e cantava a ele. Era muito bonito! Hoje ainda me lembro desses tempos como uma das épocas mais preciosas da minha vida. Uma pessoa pode aprender a conhecer Deus em situações reservadas. Obrigado, Senhor, por aquela solitude abençoada contigo! Aprenda a beneficiar-se de momentos em que estiver só. Esses momentos, em geral, são a chave para

Ele é alguém, não algo!

desenvolver um relacionamento íntimo com a pessoa do Espírito Santo.

Muitas pessoas querem estar cheias do Espírito Santo, mas não ser dirigidas por ele. Jesus foi levado ao deserto para estar sozinho em intimidade com ele e para receber dele seu poder. Há alguns que não acreditam que o Espírito Santo possa liderá-los a um deserto, porque o associam a algo negativo. Ele o toma pela mão e o conduz por momentos de solitude e solidão para que você possa conhecê-lo melhor. Quando você estiver em um deserto, não diminua o Espírito, queixando-se de como se sente sozinho, porque ele nunca o abandonará. Ele sempre estará com você para o ajudar, assim como fez com Jesus.

Se você tem se deixado encher da presença do Espírito Santo, permita que ele o guie. Ser cheio dele e andar com ele são duas realidades distintas. Existe um deserto entre ambos. Este é o lugar em que você precisa aprender a estar só com ele, a fim de que ele o convide a conhecê-lo e a andar em seu poder, porque é impossível caminhar no poder de alguém que você não conhece.

O apóstolo Paulo escreveu: "A graça do Senhor Jesus Cristo, o amor de Deus e a comunhão do Espírito Santo sejam com todos vocês" (2Coríntios 13.14).

O amor do Pai foi manifesto quando enviou seu Filho para morrer por nós, e a graça de Jesus Cristo foi mostrada na cruz para nos salvar do pecado e da morte. O Espírito Santo é a pessoa divina que está ao nosso lado, com quem podemos falar e ter uma íntima comunhão.

EM HONRA AO ESPÍRITO SANTO

Ter comunhão com o Espírito Santo é um dos lados da moeda; o outro é desfrutar dessa intimidade. Ter comunhão com alguém significa gastar tempo com essa pessoa, conversando e ouvindo um ao outro. Você pode ter comunhão com ele estando no seu carro, no trabalho ou na fila do banco. Pode conversar com ele continuamente ao longo do dia.

No entanto, ser íntimo implica estar a sós com ele em um lugar onde nada nem ninguém o interromperá. Ele se manifestará aí e mostrará o que tem para você. Assim é como os planos dele para a sua vida são, na maioria, revelados e você é transformado pelo poder dele. Esse é o lugar onde os mistérios dele são revelados. Nada disso pode ser aprendido por outro ser humano. Ele deseja revelar tudo o que tem sido gratuitamente dado a você, a saber, a profundidade de quem ele é. Isso não se aprende por meio de leitura, mas por investir tempo em sua presença.

O que o Espírito Santo revela em primeiro lugar a você durante esse tempo de intimidade são as coisas que o Pai tem para a sua vida. Ele diz o que e quando pedir algo, porque ele sabe exatamente o que você enfrentará. Em seguida, ensina seus atributos como provedor, salvador e médico. Finalmente, ele mostrará a você as profundezas do coração dele: como pensa e que coisas lhe agradam e lhe desagradam. Essas são as coisas profundas de Deus.

Quando você não busca esses momentos de intimidade com o Espírito, acaba perdendo muitas bênçãos

Ele é alguém, não algo!

e, pior ainda, nunca se familiariza com o coração e a natureza de Deus. Portanto, para conhecer o Pai, você precisa ter intimidade com seu Espírito. Ele busca tanto o coração de Deus quanto o nosso para torná-los um.

Simplesmente erga suas mãos ao Senhor — onde quer que você esteja e neste exato momento — e feche os olhos. Busque-o. Estar aos pés do Mestre com um violão de cinco cordas desafinado ou com um CD de adoração é uma das melhores coisas da vida. Não importa se é numa cama bolorenta ou numa cama confortável, em uma casa pequena ou numa mansão, com uma carteira cheia de dinheiro ou com alguns centavos no bolso — sempre aos pés de Jesus é onde você deve querer estar. Esqueça-se dos seus problemas financeiros ou da sua agenda para hoje. Busque-o de todo o coração agora mesmo. Nada vale mais do que o momento inestimável de estar na presença de Deus.

Faça apenas esta oração: "Pai, por favor, ajuda-me. Quero conhecer-te. Não mais vou reclamar por achar que estou só. Desejo conhecer-te nesse lugar secreto e íntimo. Desejo adorar-te, Senhor".

4

A portas fechadas

Durante toda a minha vida tive diversas experiências de intimidade com o Senhor. Cada uma delas deixou uma marca profunda na minha vida. Ainda hoje, ao recordá-las, meu coração é tocado, porque foram momentos de grande transformação e de desafio para mim.

O primeiro desses momentos aconteceu quando eu tinha 9 ou 10 anos, ao vê-lo pela primeira vez. Ele estava em frente da minha cama, suspenso no ar; e, embora não pudesse ver sua face, eu sabia que ele estava olhando diretamente para mim. Eu acordei minha mãe para que ela também o visse, mas ela não conseguiu. Embora o momento tenha sido breve e eu não tenha escutado nenhuma palavra, eu sabia que, a partir daquele momento, ele estava me vigiando de perto, como se dissesse: "Eu tenho planos para a sua vida. Sempre estarei com você". Com sua presença, ele estava me dizendo: "Não importa o que aconteça, você precisa saber que eu existo e que sou a razão da sua vida".

Eu poderia mencionar muitas outras coisas nestas páginas, mas muitas são praticamente impossíveis de ser descritas. Não tenho palavras para explicar o que vi. Sempre que me lembro delas, não consigo conter o choro. Foi espetacular poder ver algo a que outras pessoas ao redor não tiveram acesso. Foi como o que aconteceu com o apóstolo Paulo na estrada rumo a Damasco.

Eu nunca me esqueci daquele momento. Sua aparência no meu quarto marcou minha vida. Eu era o garoto esquisito que chorava na igreja sempre que o coro cantava. Sempre reclinava a cabeça para que ninguém me visse, porque todos os meus amigos na escola não entendiam o que eu estava sentindo. Sempre fui o garoto que parava na casa dos amigos às 7 horas da manhã para ir à missa. Desde aquele encontro, eu desejei servir ao Senhor, mas em oração eu sempre pedia a Deus para ser um missionário, porque eu também queria me casar um dia. Esse primeiro encontro como Senhor estabeleceu a base da minha vida. Eu sabia que tinha sido marcado para sempre.

FUI FORMADO EM SECRETO

A Palavra de Deus diz em Salmos 139.13-15:

Tu criaste o íntimo do meu ser
e me teceste no ventre de minha mãe.
Eu te louvo porque me fizeste
    de modo especial e admirável.
Tuas obras são maravilhosas!

A portas fechadas

Digo isso com convicção.
Meus ossos não estavam escondidos de ti
   quando em secreto fui formado
   e entretecido como nas
     profundezas da terra.

Para que Deus forme cada parte do seu ser, ele o esconde e trabalha em você em secreto. A formação do nosso ser é uma obra-prima perfeita; é por isso que o Senhor não permitiu que o ventre da mulher fosse transparente, para que ninguém pudesse ver sua maior façanha. É por isso que Deus esconde o processo da gestação e não o torna conhecido, nem mesmo aos pais, até que esteja completo.

Embora a formação de um ser humano seja uma obra de arte, o processo em si não é belo. Se testemunhássemos o procedimento, provavelmente o julgaríamos ou criticaríamos. Ficaríamos nervosos ao nos preocupar com a forma apropriada de cada parte do corpo ou com a presença de todos os órgãos humanos. Isso para não mencionar todos os tipos de sugestões que daríamos ao Criador, incluindo detalhes sobre traços familiares e características específicas. Talvez você pense que estou exagerando, mas não estou. Lembre-se de quão difícil ou desafiador foi decidir que nome dar a um filho seu? Todos tinham uma opinião ou sugestão. Por tudo isso, penso que ocultar o período de gestação foi a melhor decisão; caso contrário, provavelmente não permitiríamos que seguisse seu curso.

Deus o criou de um modo único. Você é exclusivo. As pessoas não são feias ou bonitas, mas, sim, únicas.

EM HONRA AO ESPÍRITO SANTO

Olhe para você mesmo: não há ninguém como você. Até mesmo os gêmeos têm algo que os diferencia. As impressões digitais são um exemplo — não existem réplicas. Da próxima vez que se olhar no espelho, reconheça e aprecie a obra exclusiva que está refletida no que você vê. Além disso, aos olhos de Deus somos todos perfeitamente criados; é por isso que podemos dizer com segurança: "Quão maravilhosas são tuas obras, Senhor!".

Este é um bom momento para meditar em um ensino que pode mudar completamente sua vida. Muito do que somos está relacionado com como fomos concebidos. Durante a Segunda Guerra Mundial, muitas crianças nasceram fora do casamento. Homens e mulheres da América do Norte viajaram para a Europa como parte dos exércitos aliados e tiveram relações que deram frutos. Milhares de mulheres conceberam filhos fora do casamento e, como consequência, muitos filhos nasceram sem um pai. Os que permaneceram sós nos Estados Unidos viveram em condições semelhantes. Esse foi o começo de uma geração de jovens órfãos e desorientados que, à medida que cresciam, se rebelavam contra seus pais e sua própria vida. A sociedade estava enfrentando uma séria fissura de identidade. Havia um número crescente de lares desfeitos, pessoas vivendo juntas sem estar casadas e crescente abuso das drogas.

> Deus o criou de um modo único. Você é exclusivo. As pessoas não são feias ou bonitas, mas, sim, únicas.

Talvez você se pergunte por que incluir essa parte da História num livro sobre o Espírito Santo. Mas deve se perguntar também o que aconteceria se o poder de Deus, capaz de levantar os mortos, pairasse sobre

A portas fechadas

alguém cujo coração ainda carrega feridas do passado e não se esqueceu de como ou por quem foi gerado. O Senhor deseja dar a você um coração saudável, não que esteja vagando de um lugar a outro com o poder de Deus, mesmo com feridas antigas. Ele deseja ungir você e o transformar, mas também quer curar você e o fazer inteiro. É tempo de meditar nisso e entender que Deus nos ama e deu seu Filho por nós, independentemente de onde viemos, como fomos educados e quem nos trouxe ao mundo. Deus tem um futuro para a sua vida.

Talvez você seja filho de uma mãe solteira, ou fruto de uma gravidez indesejada, cuja chegada resultou em um casamento forçado. Talvez seja fruto de uma violência. Quem sabe nunca tenha conhecido seus pais ou saiba que um dos seus progenitores tenha outra família. Qualquer que seja o caso, talvez questione o motivo de ter nascido e diga que nunca pediu para nascer. Tudo isso pode facilmente impedir o seu potencial e limitar as suas conquistas, mas, devo esclarecer, as circunstâncias do seu nascimento são irrelevantes. O que realmente importa é que você entenda que Deus deu vida porque você é estimado e precioso para ele. Por isso, Deus pôs a mão no útero da sua mãe e com cuidado e gentileza o formou, independentemente de como, quando ou onde foi concebido.

De hoje em diante, pare de reclamar. Aprecie a sua vida, porque você é único. Você não pode mudar o seu passado, mas pode fazer muito sobre o seu futuro. Você nasceu porque Deus tinha planos maravilhosos para você.

UM ÚTERO ESPIRITUAL

Também existe um tipo de útero espiritual para aqueles que nasceram do espírito. Quando o Senhor nos encoraja a orar, ele nos diz para ir a um lugar secreto e fechar a porta, porque deseja nos formar em segredo. Esse jardim de oração é como o útero materno, um lugar no qual o Senhor trabalha em nós. Ele descobre o nosso coração e nos revela quais mudanças deseja fazer.

Certo dia, o Senhor me perguntou: "Você sabe por que eu mandei você fechar a porta do quarto ao orar?". Essa mesma pergunta pode passar pela cabeça de muita gente, e a resposta é simples. Ele deseja formar você na solitude. Ele quer falar a você sobre todas as coisas boas que você está fazendo e como você pode melhorar e maximizar o seu potencial. Não tenha pressa de aceitar sugestões ou aconselhar alguém, porque esse é um tema entre o Criador e sua criação, entre o Pai e seus filhos, os quais ele deseja corrigir sem envergonhá-los, como devemos fazer com os nossos filhos.

> Ele deseja formar você na solitude. Ele quer falar a você sobre todas as coisas boas que você está fazendo e como você pode melhorar e maximizar o seu potencial.

No livro de Apocalipse, em cada uma das cartas às igrejas, Deus as elogia por tudo o que fazem de correto e depois as adverte, dizendo:

"Contra você, porém, tenho isto: você abandonou o seu primeiro amor. Lembre-se de onde caiu! Arrependa-se e pratique as obras que praticava no princípio. Se não se arrepender, virei a você e tirarei o seu candelabro do lugar dele" (2.4,5).

A portas fechadas

Lembro-me de uma ocasião quando chamei um dos meus filhos para que viesse ao meu quarto para corrigi-lo e deixei a porta aberta. Meu outro filho foi até lá para ver como eu o puniria. Nesse momento, eu percebi que o assunto não tinha nada a ver com o irmão, mas, sim, entre pai e filho. Então, disse ao outro filho, que estava à porta: "Filho, isso não diz respeito a você. Por favor, feche a porta e saia. Isso é só entre mim e o seu irmão".

Todavia, nem sempre que fechamos a porta é porque queremos corrigir alguém. O mais belo entre o marido e a mulher também acontece com as portas fechadas. É aí quando podemos ter intimidade. E, embora não haja nenhum pecado implícito e por meio dessa intimidade nasçam nossos filhos, não podemos convidar ninguém para assistir ao ato. Da mesma forma, as coisas mais belas entre Deus Pai e seus filhos ocorrem a portas fechadas. Lembre-se: cada vez que Deus nos chama para estar a sós com ele não necessariamente é para repreender-nos, mas, sim, para moldar e amar.

A oração em grupo é muito eficaz, mas não substitui a oração íntima e individual, porque esse é o tempo planejado por Deus para que tenhamos comunhão com ele como Pai de amor. Seu ensino em oração nos mostra que devemos fechar a porta e nos preparar para falar com ele face a face. Assim também acontece em muitas situações no casamento. Ao conversar com a esposa, o marido não permite que os filhos interrompam. Ele lhes pede privacidade para organizar temas e resolver assuntos com ela. A portas fechadas, você resolve assuntos e permite que o Senhor transforme o seu coração.

A minha mulher e eu nos casamos há muitos anos e o nosso relacionamento é excelente. Nós respeitamos mutuamente o espaço do outro e o tempo a sós com Deus. Embora oremos juntos com frequência, cada um de nós também tem seu tempo de oração porque sabemos que nossa comunhão com o Senhor também é íntima e pessoal. Os momentos em que a vi mais quebrantada foram os que ela estava orando sozinha ao Pai celestial.

> A portas fechadas, você resolve assuntos e permite que o Senhor transforme o seu coração.

A primeira opção de Deus nunca será enviar você a um profeta para ser reprovado ou corrigido diante de outros. Até mesmo ao corrigir uma pessoa na igreja, segundo Paulo, a correção pública era a última opção. Não tenha medo de ser moldado por Deus. Ele ama você e sabe a forma correta de o moldar.

A TRANSFORMAÇÃO ACOMPANHA A CONFRONTAÇÃO

As revelações mais importantes da minha vida ocorreram durante o tempo íntimo de oração. Foi neles em que eu recebi a palavra que produziu os resultados que muitos hoje veem no meu ministério. Grande parte da palavra começou com uma confrontação. Foi quando Deus me questionou por que a minha fé era incapaz de comprar um bom par de sapatos sem ficar excessivamente preocupado com as minhas finanças. Se eu não podia crer em algo tão simples como um bem material, então eu teria menos fé ainda para ver algo muito maior, como a glória de Deus.

Quando eu pedi a ele que me conduzisse à operação de milagres, eu disse: "Senhor, se eu tivesse vivido

A portas fechadas

durante o teu ministério na terra e tivesse visto os teus milagres, seria mais fácil acreditar neles". Então, no lugar secreto, ele me respondeu: "Carlos, se você tivesse vivido naquela época, teria se perdido, porque os seus modos são muito refinados para seguir um homem que cospe nos outros".

Sua resposta me assustou, e eu pude meditar nisso por muito tempo. Eu tinha de reconhecer que em algumas ocasiões Jesus fizera coisas como cuspir no chão e fazer uma mescla para pôr nos olhos de um cego, ou cuspir nos olhos de outro, ou ainda pôr saliva na boca de um surdo-mudo. Se eu não tivesse saído correndo escandalizado, tenho certeza de que a minha mãe teria me pedido para não me juntar com um carpinteiro que cuspia nas pessoas. Meus bons modos teriam competido com a minha fé, como fazia nesse momento, mas o Espírito Santo estava lá para me corrigir no lugar secreto da oração.

Nesse lugar secreto, ele também me ensinou que eu deveria diminuir para poder vê-lo. Foi exatamente nesses momentos de solitude, no lugar secreto, que Deus transformou minha vida para que sua unção poderosa descansasse sobre mim. É desse modo que entendo que antes da unção nós muitas vezes precisamos experimentar a confrontação.

Lemos em Salmos 51.6: "Sei que desejas a verdade no íntimo; / e no coração me ensinas a sabedoria". Deus tem um relacionamento íntimo com aqueles que o temem e respeitam. É verdade que na multidão de conselheiros há sabedoria, mas como chegar até eles se em primeiro lugar não buscamos Deus no lugar secreto para que ele nos ajude a entender sua sabedoria? Somente diante do Senhor é que você aprende a ser sábio.

Em outra ocasião, eu estava na sala de estar da minha casa adorando o Senhor e buscando sua face para a igreja que pastoreio; de repente, vi o reflexo de seu contorno diante de mim e senti sua presença. Ele falou comigo e me ordenou que comprasse o terreno no qual construímos nosso primeiro edifício. Em seguida, desapareceu imediatamente. Como eu teria amado se ele permanecesse mais um momento para que eu pudesse explicar-lhe que não tínhamos dinheiro e que ele estava pedindo algo impossível! Mas, ainda que eu não entendesse, eu disse que obedeceria. Esse foi um desafio que pessoalmente me transformou e me levou ministerialmente a outro nível.

Também me lembro de que foi no lugar secreto e íntimo que o Senhor me fez a seguinte pergunta: "Quanto você está disposto a sacrificar por mim para mostrar a minha glória às nações?". Eu respondi: "Tudo o que for necessário". Imediatamente comecei a encontrar uma forma de perguntar a Sonia, minha esposa, se podíamos vender nossa casa nova. Tinham sido necessários onze anos de economias, sacrifícios e muita gratificação atrasada para construí-la. Quando nos casamos, eu lhe prometi que construiríamos uma casa sem dever nada a ninguém. Mas naquele momento eu lhe estava propondo que vendêssemos a casa para investir o dinheiro na primeira Cruzada de Cura Noites de Glória em outro país. Lembro-me de certa noite em que tentava encontrar coragem para perguntar a ela. Sua resposta

A portas fechadas

me surpreendeu totalmente: "Se nós o fizermos para que mais pessoas possam ser abençoadas, vá em frente e venda-a!". Foi assim que começamos nossas reuniões internacionais de milagre em estádios e anfiteatros. Foi então que o Senhor se revelou a mim que ele usa aqueles que estão dispostos a pagar o preço, porque são estes cujo caráter se parece mais com o dele.

O ministério na televisão começou de forma semelhante. Eu sabia que o Espírito Santo queria falar comigo sobre o tema, mas evitei o assunto por motivos pessoais. A verdade é que eu nunca quis estar na televisão. Não sou o tipo que deseja aparecer em todos os lugares. Sou muito mais tímido do que pode parecer. Eu sabia que ir para a televisão me tornaria uma pessoa pública, o que também tem seus inconvenientes, aos quais já nos adaptamos por amor a Deus e a seu povo. Naquele tempo, eu não estava querendo fazer televisão e, por isso, não levei o assunto a ele, embora soubesse que ele o faria cedo ou tarde. Acredite ou não, cheguei a parar de orar durante algum tempo, tentando evitar a voz do Espírito Santo.

De repente, algo aconteceu. Eu recebi um convite para pregar na cidade de Laredo, Texas. Não era uma reunião grande, de fato relativamente pequena, mas o Senhor me levou a aceitar o convite. Fizemos todos os preparativos para a viagem, eu e minha esposa, mas o voo nos levou a outra cidade. Uma voluntária da igreja que nos convidara foi nos buscar no aeroporto e nos levou de carro até a cidade de Laredo. Eu me sentia muito cansado, e Sonia sempre tão gentil me deixou ir

EM HONRA AO ESPÍRITO SANTO

no assento da frente para poder descansar um pouco. Em seguida, o motorista ligou o som e começou a tocar uma música instrumental que me ajudou a descansar. Para a minha surpresa, o hino *Pescadores de homens*, que eu conhecia desde pequeno, começou a tocar. A letra diz mais ou menos o seguinte:

> "Senhor, tu me tens olhado bem lá no fundo.
> Ao sorrir, chamaste-me pelo nome.
> À beira do mar, deixei o barco
> Para contigo buscar outro mar".

Naquele momento, comecei a chorar feito uma criança, e sua voz me disse: "Carlos, quero que você vá para a televisão!". Eu levantei as mãos e lhe disse que eu estava de acordo. Ele respondeu em seguida: "Veja, tudo o que eu preciso é de alguns segundos para convencer você". Respondi, soluçando: "É verdade, Senhor! É por isso que eu não queria falar sobre o assunto contigo". Talvez todas essas coisas pareçam estranhas ou impossíveis, mas os resultados do que estou compartilhando aqui são tão visíveis e atestados por muita gente.

Somos formados em secreto, durante nossos momentos de intimidade com Deus, nos quais ele fala àqueles que o buscam com um coração puro e sincero. Ele se revela àquele que o deseja. Não desista; insista diante de seu trono. Talvez nunca o veja fisicamente ou ouça sua voz audivelmente, mas tenho a certeza de que ele falará ao seu coração e que você será transformado.

A portas fechadas

O PODER DA TRANSFORMAÇÃO

Salmos 51.7-11 diz:

> Purifica-me com hissopo, e ficarei puro;
> lava-me, e mais branco do que a neve serei.
> Faze-me ouvir de novo júbilo e alegria,
> e os ossos que esmagaste exultarão.
> Esconde o rosto dos meus pecados
> e apaga todas as minhas iniquidades.
> Cria em mim um coração puro, ó Deus,
> e renova dentro de mim um espírito estável.
> Não me expulses da tua presença
> nem tires de mim o teu Santo Espírito.

O escritor fala primeiro do lugar secreto de intimidade antes de suplicar por transformação. Davi entendia o equilíbrio, porque ele já estava levando a carga de seu pecado quando pediu ao Senhor para mudar sua vida e deixá-lo sentir novamente alegria e júbilo. Deus não o confrontou para condená-lo, mas, sim, para liberá-lo. Ele faz o mesmo por você. Ele o exorta e lança luz sobre seus pecados para o liberar deles. Mas Davi não se condenou. Ele pediu ao Senhor para esquecer de seus pecados, mas ao mesmo tempo sem tirar-lhe a bênção de seu Espírito Santo porque sem ele estaria perdido.

Os versículos 12 e 13 dizem:

> Devolve-me a alegria da tua salvação
> e sustenta-me com um espírito pronto a obedecer.

Então ensinarei os teus caminhos aos transgressores,
para que os pecadores se voltem para ti.

Esses versículos falam de ser usado para trazer o povo de volta para Deus. O homem que se recusa a entrar na presença de Deus para ser moldado, corrigido e transformado nunca pode ser usado para transformar outros. Aquele que busca alcançar o equilíbrio que estava no coração de Davi é quem pode falar a outros para que estes possam corrigir a própria vida, pois ele mesmo já foi corrigido e alinhado segundo a vontade de Deus.

Se você deseja isso de verdade, apenas repita esta oração em voz alta: "Senhor, muda o meu coração. Dá-me um espírito humilde como o teu. Dá-me um novo coração e um espírito reto. Vem e me renova para que eu possa levar outros a ti".

> O homem que se recusa a entrar na presença de Deus para ser moldado, corrigido e transformado nunca pode ser usado para transformar outros.

A transformação de sua família começa com a sua própria vida. Alguém certa vez disse que ninguém poderia falar às pessoas sobre Deus sem primeiro ter falado com Deus sobre as pessoas. Devemos entrar na sala do trono de graça para que Deus nos transforme e renove. Podemos ir direto à presença dele e pedir: "Senhor, tu conheces os meus pensamentos. Sabes que sou imaturo, que reclamo; tento me justificar e dou desculpas para tudo. Muda-me por favor e transforma-me".

Como é que cristãos de tanto tempo, que sabem como devem agir, agem tantas vezes de modo imaturo

A portas fechadas

e caprichoso. Há aqueles que buscam posição e liderança e que choram como bebês quando deveriam ganhar reconhecimento. Esse tipo de comportamento deve mudar. Somente Deus e sua presença santa podem fazer isso. Se você vai até ele para ser alcançado por sua glória, ele certamente lidará com você sobre isso com tanto amor e cuidado que parecerá gentil mesmo quando tiver uma palavra dura a dizer a você.

Deixe-me dizer que tudo o que você está sentindo é sede de Deus. Sua alma está sedenta pelo Deus vivo, não por liturgia religiosa ou algum tipo de adoração ou estudo teológico. O que você realmente está sentindo é uma sede intensa pelo próprio Deus. Aproxime-se dele e beba tudo o que desejar.

As melhores Noites de Glória que tivemos foi experimentar a presença do Deus vivo. Não dependa de um grande evento com um grupo famoso de adoração ou líder. Não espere ser convidado para uma vigília de oração. Busque experimentar os seus momentos a sós com Deus. Sempre se lembre de que a chave para uma vida pública é a sua vida particular. Se você deseja ter sucesso na vida pública, em primeiro lugar busque ser bem-sucedido diante de Deus em sua vida particular. Se deseja ser conhecido em algum lugar, deixe isso com Deus, em seu trono de graça.

> Se você deseja ter sucesso na vida pública, em primeiro lugar busque ser bem-sucedido diante de Deus em sua vida particular. Se deseja ser conhecido em algum lugar, deixe isso com Deus, em seu trono de graça.

Como dissemos antes, quando se fecha a porta do quarto há intimidade entre duas pessoas casadas.

Isso não é pecado. Mas a razão de você fechar a porta é porque algo íntimo está para acontecer. Você já sabe que será um tempo de olhar profundamente nos olhos da outra pessoa, de expressões amorosas e ternas de amor, com palavras doces.

Os conselheiros matrimoniais nos confirmam que a felicidade dos casais que experimentam esse tipo de intimidade compartilhada reflete essa satisfação em público. A mesma coisa acontece com Deus e uma vida de oração no lugar secreto. Sempre que ele pede que você feche a porta, é porque estão para surgir momentos gloriosos. Você contemplará a beleza de sua santidade, você ouvirá o chamado que ele tem para a sua vida, além de receber uma visão precisa do que Deus deseja que você cumpra para ele. Seu coração será quebrantado. Todo o seu ser será cheio de alegria. A unção dele repousará sobre você. Você ouvirá uma voz doce, porém firme, e o mais importante: deixará o lugar secreto mais apaixonado por Deus e comprometido com ele do que jamais havia experimentado. Então, por que esperar mais? Pare de ler por um momento e busque estar só com ele. Posso garantir que você jamais será o mesmo.

5

Onde quer que esteja

O Senhor pode manifestar-se em qualquer lugar, a qualquer momento. Esses momentos acontecem, em geral, nos ambientes de comunidade entre irmãos na fé, quando Deus nos permite ministrar seu poder. Mas também há momentos em que ele deseja fluir seu poder sem nos pedir permissão. Por ele ser uma pessoa independente que nos acompanha a qualquer parte e porque nos deseja dessa maneira, ele também se manifesta sempre que deseja, sem prévio aviso.

Certa vez, eu estava em um aeroporto internacional entre uma conexão e outra. Nunca viajo sozinho, mas essa viagem para a América do Sul foi uma exceção; e a fiz porque o Espírito Santo assim me orientou. Ele, com toda a certeza, quis me mostrar que sua comunhão comigo é genuína. Enquanto esperava para entrar no avião, busquei uma boa cafeteria e um bom livro. Em seguida, uma pessoa veio até mim e me perguntou se eu era Cash Luna. Depois me pediu com toda a gentileza se eu podia explicar-lhe o que estava acontecendo com as pessoas. Eu não entendi a que ele se referia, ao que me explicou que tinha havido uma grande confusão na área de imigração porque alguns tinham caído no chão movidos pelo Espírito Santo. No meio de toda a confusão, alguns mencionaram que eu acabara de passar pelo local e que alguns estavam me procurando. A única explicação que pude dar é que, como ele podia constatar, eu estava na livraria lendo um livro tranquilamente e que seguramente Deus havia se manifestado entre aquelas pessoas. Enquanto fiquei sentado esperando na sala de embarque, uma mulher começou a trazer pessoas, uma a uma, para que eu orasse por elas. Passei mais de uma hora orando pelas pessoas.

Em outras ocasiões, cumprimentei pessoas na rua, as quais depois relataram que sentiam como se fossem cair quando eu me aproximei. Coisas assim acontecem o tempo todo, mesmo quando não tenho consciência de nada disso. A presença de Deus não se limita aos edifícios das igrejas ou às reuniões religiosas. É algo real em qualquer lugar, e ele é capaz de fazer qualquer coisa que desejar, em qualquer lugar, com qualquer um que escolher.

> A presença de Deus não se limita aos edifícios das igrejas ou às reuniões religiosas. É algo real em qualquer lugar, e ele é capaz de fazer qualquer coisa que desejar, em qualquer lugar, com qualquer um que escolher.

Isso me lembra de experiências semelhantes com pessoas que estavam hospedadas em hotéis onde Kathryn Kuhlman, conhecida evangelista com dom de cura, costumava se hospedar. Enquanto ela estava em um hotel, até mesmo os garçons e os cozinheiros tombavam no chão, tocados pelo Senhor na cozinha. Algo semelhante acontecia com Jesus. Alguns leprosos eram curados quando ele

Onde quer que esteja

passava pelo caminho porque o poder de Deus os tocava ali mesmo. Eram como aqueles que eram curados nos ônibus enquanto se dirigiam aos nossos eventos Noites de Glória. Enquanto estou no lugar secreto de oração, outros recebem a cura pelo poder do Espírito Santo que os alcança onde quer que estejam. O Espírito Santo não espera que alguém lhe diga o que fazer. Em muitas ocasiões, ele simplesmente nos diz o que ele fez depois que já aconteceu.

Enquanto estávamos celebrando uma Cruzada Noites de Glória em uma cidade do Equador, algo muito poderoso aconteceu a um homem que estava envolto em um lençol azul. Ele era muito conhecido na cidade porque era considerado louco. Durante as duas reuniões que tivemos na cidade, ele não parava de cambalear de um lado para o outro e babava continuamente. Fiquei imensamente triste ao vê-lo naquela situação diante de todos, sem nenhuma evidência de melhora. Na noite seguinte, algo dentro de mim me dizia que o homem podia ser curado. Quando o evento acabou, voltei ao quarto que me haviam preparado para oração. De repente, algumas pessoas que nos ajudaram nas reuniões começaram a bater na minha porta. Estavam muito emotivas, e pareciam ter visto um fantasma. Perguntei-lhes o que tinha acontecido. Prontamente me disseram que, enquanto estavam movendo as cadeiras para limpar o local antes de terminar a noite, o homem pareceu reagir. Ele parou de babar e começou a falar. Suas primeiras palavras foram: "E-e-e-e-u-e-e-s-t-t-o-o-u-c-u-r-a-a-a-d-o!". Ele havia sido restaurado de sua insanidade! Ninguém orou por ele ou

EM HONRA AO ESPÍRITO SANTO

impôs as mãos sobre ele; foi simplesmente a presença de Deus que pairava sobre o ambiente mesmo depois que todos se haviam retirado, e assim ele foi curado.

SUA ONIPOTÊNCIA ACOMPANHA SUA ONIPRESENÇA

Desde a infância aprendemos que Deus está em todos os lugares. Ter essa crença no coração tem uma profunda influência no nosso comportamento e santidade. O Senhor está sempre conosco, independentemente de onde estamos ou do que estamos fazendo. Quando você está totalmente convencido dessa verdade, terá a certeza de que ele pode manifestar-se onde você estiver, tanto no trabalho quanto no seu quarto, estudando ou em casa, no campo ou na cidade, na academia ou na igreja.

Anelar a unção do Espírito Santo é desejar a manifestação da onipotência de Deus na nossa vida. Em Salmos 91.1, temos uma palavra profética àqueles que buscam desenvolver um relacionamento de intimidade com o Senhor. Assim ele diz: "Aquele que habita no abrigo do Altíssimo / [...] descansa à sombra do Todo-poderoso".

Para entender esse texto, devemos prestar atenção especial nos verbos "habitar" e "descansar", que mostram como necessitamos da presença de Deus. A promessa do nosso Senhor é: "Todo aquele que habita na minha presença e vive comigo, cedo ou tarde, experimentará a manifestação do meu poder em sua vida". A chave para ver sua onipotência é acreditar em sua onipresença.

O versículo 2 continua: "pode dizer ao SENHOR: / 'Tu és o meu refúgio e a minha fortaleza, / o meu Deus, em quem confio' ". Aliada ao primeiro versículo, essa passagem compara o Senhor a três importantes recursos de proteção para o crente: abrigo, refúgio e fortaleza. Uma fortaleza é um lugar de defesa e reabastecimento durante tempos de guerra; um lugar no qual nossa força é renovada. Nosso lugar secreto é o lugar no qual experimentamos momentos com a pessoa mais íntima do nosso círculo. Trata-se de um lugar aconchegante no qual podemos descansar, sonhar e manter nossos segredos. O refúgio protege o corpo de um clima incontrolável e de outros riscos exteriores. Tudo isso é o que sua presença representa para nós. A unção não apenas nos capacita a fazer milagres, mas também nos fornece a proteção divina. Por essa razão, o salmo continua com uma promessa de que ele nos livrará do caçador e do veneno mortal e que não devemos temer as flechas de dia nem os terrores da noite, porque ele enviará seus anjos para nos manter firmes sobre a rocha.

Muitas pessoas buscam o poder do Senhor, mas não querem aprender a viver em sua presença. Buscam a cura, mas não aquele que cura; buscam a prosperidade mais que aquele que as unge. Buscam onipotência enquanto se esquecem de sua onipresença, porque querem seu poder, mas não respeitam nem honram sua existência. Aqueles que aprendem a habitar na onipresença de Deus terão a honra de ver sua onipotência.

O FUNDAMENTO DA SANTIDADE

Faz algum tempo, uma pessoa que era alcoólatra me desafiou dizendo que beber bebidas alcoólicas não era errado. Então, pedi que orasse e agradecesse a Deus cada vez que ele tomasse um trago. Imagine a oração desse homem: "Pai, agradeço por esta bebida que me deste e abençoa este uísque a fim de que ele alimente o meu corpo". Sabe o que aconteceu? Ele parou de beber. Alguns dias depois, ele me disse que tomou o copo nas mãos e, quando orou, sentiu uma convicção de Deus a tal ponto de ser incapaz de tomar outro drinque. Ele descobriu que Deus estava em sua presença, com ele, e decidiu que não desagradaria a Deus.

Acreditar que Deus está presente em todos os lugares e que ele vê tudo o que fazemos é chave para uma vida de santidade. Sua jornada é mais correta quando você está convencido de que não pode fazer qualquer coisa pelas costas de Deus. Ele o acompanha e está sempre ao seu lado, vendo tudo o que você faz, ouvindo suas conversas e avaliando seus pensamentos mais íntimos. Talvez você saiba esconder o seu pecado das pessoas, mas não de Deus.

Muitos anos atrás, quando havíamos acabado de abrir a igreja, contratamos uma empregada que acabou nos roubando. Numa sexta-feira à noite, enquanto eu dormia, pude ver sua face, e naquele momento Deus me revelou que faltava dinheiro da igreja e que essa pessoa era a responsável pelo roubo. Ele até mesmo me mostrou a quantia exata que ela havia levado. No dia seguinte, confirmei cada detalhe que o Senhor me havia mostrado e tive de despedi-la imediatamente. Como eu sabia? Porque, ao roubar, ela fez de tudo para garantir que ninguém a visse, mas se esquecera de que Deus estava lá. Passei por experiências semelhantes em outras ocasiões. Sempre lembro minha equipe de que Deus está presente no nosso ministério. E isso é um benefício real para nós, porque somos testemunhas de sua obra; ainda assim, podemos nos ferir se nos esquecermos de que ele é o único responsável por revelar as coisas erradas que ele vê. Viver uma vida convencido de sua onipresença é o que sustenta nossa caminhada com ele.

Os jovens precisam entender que não são seus pais que os incomodam em seus momentos de paixão e tentação quando estão na companhia de um namorado ou namorada. É Deus que os leva a se preocupar, porque está ao lado deles. Não é do pastor que devem esconder um cigarro ou uma bebida, ou diante de quem devem se sentir envergonhados por ter um hálito de quem bebeu. Deveriam, sim, estar preocupados pela desaprovação do Pai celestial, pois é ele que sempre os acompanha. Quando nossa santidade é visível no nosso comportamento, nosso alvo é agradar ao Senhor, não a igreja ou um líder espiritual.

O problema com um relacionamento extraconjugal não é o fato de que os amantes sejam cuidadosos para que ninguém os veja entrar em um lugar em segredo. A questão é lembrar que o Senhor os verá porque está com eles aonde quer que forem. O problema não está em conduzir questões escusas em segredo, mas, sim, o pensamento que não conseguimos esconder de Deus.

EM HONRA AO ESPÍRITO SANTO

É mais fácil ser santo quando estamos convencidos de sua onipresença. Crer significa que, ao nos sentar para ver televisão, evitaremos cenas inapropriadas porque sabemos que Deus está aí assistindo ao mesmo programa. Podemos enganar o patrão, chegando tarde no trabalho, mas não a Deus.

É mais difícil abster-se de coisas que agradam à nossa carne e que entristecem o nosso espírito quando ainda não aprendemos a viver de acordo com a onipresença de Deus. Nós tentamos nos justificar, dizendo que não há nada de errado em buscar nossa satisfação pessoal, mas nos esquecemos de que isso não agrada a Deus. É vital que você aprenda a mudar o seu comportamento em tais assuntos. A carne sempre desejará coisas contrárias à nossa vontade. Talvez você não seja capaz de remover um desejo carnal que tenha, mas pode eliminar sua prática. Aprenda a viver sob a sombra de Deus, respeitando sua presença em todos os momentos.

Quando você caminha no temor de Deus, seu comportamento o reflete porque você passa a dar prioridade aos princípios divinos, não aos seus prazeres. Não tente obter diversão com nada que ofenda aquele que deu a própria vida por você na cruz do Calvário. Não zombe de seu sacrifício; peça a ele força e domínio necessários para não querer nada que o possa induzir ao pecado. Devemos manter uma conduta correta tanto fora quanto dentro da igreja, uma vez que somos habitação do Todo-poderoso.

Certa vez, quando eu dirigia por uma grande avenida na Cidade da Guatemala, vi um homem pedindo carona. Parei e lhe dei uma carona. Imediatamente, ele pegou o maço de cigarros e me ofereceu um:

> É mais fácil ser santo quando estamos convencidos de sua onipresença.

— Aceita um?

— Não, obrigado. Eu não fumo — respondi.

— É sexta-feira. Não quer uma cervejinha? — insistiu.

— Não, obrigado. Eu não bebo.

— Por que não? — perguntou, olhando-me atentamente. Por sua expressão, eu sabia que ele esperava uma resposta do tipo religioso.

— Porque o meu Pai não se agrada — respondi, sem dar muita explicação.

A resposta deixou-o sem entender, mas não perguntou nada mais. De fato, o que eu dissera parecia correto e apropriado, portanto a questão religiosa tinha sido estabelecida.

Agir e comportar-se de forma apropriada não é uma questão de religião. Não tem nada a ver com pertencer a uma religião ou ir a uma igreja. Trata-se simplesmente de uma questão de buscar agradar nosso Pai celestial. Queiramos ou não, o comportamento é uma questão de respeitar a onipresença de Deus para seguir a sombra de sua onipotência. Devemos nos comportar aqui como se estivéssemos no céu, porque Deus está em ambos os lugares ao mesmo tempo. Alguns pensam que estarão perto de Deus somente depois de chegarem ao céu. Esse tipo de pensamento limita grandemente a presença do Senhor na vida de quem pensa dessa maneira. Eles mantêm Deus na última fila, em vez de se alegrar com uma profunda comunhão com ele agora mesmo.

ENVOLVIDO POR SUA PRESENÇA

Alguém me perguntou certa vez há quanto tempo eu tinha consciência da onipresença de Deus na minha vida. Creio que a maioria dos cristãos aprendemos desde bem pequenos que Deus está presente em todos os lugares, que vê todas as coisas e que sabe de tudo. Na verdade, trata-se de uma verdade fundamental para aqueles de nós que dizemos crer nele. Pessoalmente, tenho consciência disso desde que era criança, mesmo antes de me voltar para Deus. Como resultado, sempre que pecava, eu me sentia envergonhado de saber que ele podia ver tudo o que fazia. Se sempre estivéssemos conscientes dessa verdade, com certeza a nossa conduta seria apropriada cem por cento das vezes.

Lembremos o que diz o salmo 139: "Tu me cercas, por trás e pela frente, / e pões a tua mão sobre mim" (v. 5). E acrescenta:

> "Para onde poderia eu escapar do teu Espírito?
> Para onde poderia fugir da tua presença?
> Se eu subir aos céus, lá estás;
> se eu fizer a minha cama na sepultura,
>   também lá estás" (v. 7,8).

Onde quer que esteja

Aparentemente, o salmista estava passando por uma etapa difícil da vida. Talvez estivesse tentando fugir da presença de Deus. Adão fez o mesmo depois de sua desobediência. A mesma coisa pode acontecer conosco quando pecamos; tentamos nos esconder de Deus. Não há motivo para abandonar tudo por causa do pecado. Não podemos nos esconder de Deus, porque ele sabe o que estamos sentindo e passando todo o tempo. Ele nos vê em cada situação. Estamos nos enganando se pensamos que podemos nos distanciar de Deus, deixando a igreja ou nos afastando dos cristãos. A presença dele não se limita ao âmbito da igreja. Ele está em cada lugar onde pecamos. Está agora mesmo com você. Quando se sentir triste ou convencido de ter pecado, pode orar a ele, e ele estará pronto para perdoar você e continuar a relação pai-filho.

O Senhor ama tanto você que ele ousa estar ao seu redor mesmo que saiba das suas fraquezas e dos seus erros. Para poder andar à sombra de sua onipotência, você deve aprender a se comportar de acordo com a onisciência do Senhor. Em outras palavras, para isso precisa estar convencido de que ele está com você em todos os lugares e que conhece o que você pensa e faz todos os momentos.

Crer de todo o coração em sua onipresença o convencerá de que pode ouvir o que ele diz a você. Ninguém ganha a habilidade de ouvi-lo sem primeiro adotar a atitude correta de chegar a ele. Alguns se sentem abandonados quando não conseguem escutar a voz de Deus, mas ele, às vezes, fica em silêncio por amor.

EM HONRA AO ESPÍRITO SANTO

O problema está em querer que o Senhor fale quando nós é que estamos falando. Deus fala quando ele quer fazê-lo. É necessário que você o ouça para estar totalmente convencido de que ele está ao seu lado.

Eu não estou tentando amedrontar você, lembrando-o de que Deus vê tudo o que faz. Pelo contrário, quero que se sinta amado e confiante porque ele nunca o abandonará. Alguns podem dizer: "Deus me vê e controla tudo o que faço para me castigar se eu pecar". Mas é bem melhor ser grato e pensar: "Se ele me vê todo o tempo, também é verdade que ele está comigo todos os momentos e nunca me abandonará nem desamparará". Agradeça-lhe por não o deixar só e por dar a você a oportunidade de andar em comunhão com o Espírito. Muitos reclamam, dizendo que estão sós sem considerar que têm comunhão com Deus. A presença de Deus é real. Não o ofenda, mas honre-o com o seu comportamento. Nunca diga que ninguém entende você, porque, ao se expressar dessa forma, você desconsidera que o Espírito Santo está sempre com você. Embora você possa sentir que outros o abandonaram, Deus nunca fará isso.

Aqueles que desejam viver com a manifestação de seu poder e adentrar uma nova dimensão de milagres, além do que são capazes de imaginar, devem agir com fé diante da onipresença de Deus. Busque experimentar a comunhão e a intimidade com ele. O desejo mais profundo do meu coração é que Deus derrame sua unção em cada área da minha vida!

6

Abismo chama abismo

Dois amigos presidiram uma das maiores organizações missionárias do meu país natal, a Guatemala. Eu sempre havia sonhado em ministrar lá um dia porque havia sido o lugar de um reavivamento poderoso e bastante conhecido na década de 1960. Sinais e maravilhas aconteceram ali de modo continuado. Ainda hoje as pessoas falam da visitação angelical durante esse derramamento. Imagine o que significaria para mim ministrar nesse lugar e testemunhar um novo derramamento do Espírito Santo.

Finalmente, chegou o dia em que fui convidado para dirigir algumas Noites de Glória em uma igreja local. Na primeira noite, preguei sobre Isaías 61.1,3:

> "O Espírito do Soberano, o SENHOR, está sobre mim, porque o SENHOR ungiu-me para [...] dar a todos os que choram em Sião uma bela *coroa* em vez de cinzas, o *óleo da alegria* em vez de pranto e um *manto de louvor* em vez de espírito deprimido".

EM HONRA AO ESPÍRITO SANTO

Eu enfatizei o fato de que Jesus veio ao mundo com o comando de mudar nossa angústia e nosso pranto em alegria.

Quando terminei de pregar, tudo parecia normal. De fato, parecia o contrário do que normalmente acontece em outros lugares onde ministro. Não aconteceu nada de extraordinário ou sobrenatural. Então me perguntei se Deus estava comigo aquela noite ou não e se era da vontade dele que eu estivesse ali.

Por um momento passou pela minha cabeça que talvez o desejo de ministrar naquele lugar memorável fosse apenas um desejo pessoal, não divino. Ao terminar a mensagem, eu disse à congregação que o meu trabalho de compartilhar a Palavra havia sido cumprido, mas que o derramamento do Espírito Santo era algo que competia a Deus e que eu esperava vê-lo na noite seguinte. De repente, uma mulher sentada na quarta ou quinta fila se levantou e começou a pular e gritar: "Aqui há alegria; sim, há alegria!". Foi impossível interrompê-la; ela não parava de rir à medida que se aproximava do altar. Imagine a cena: a igreja cheia de gente, em profundo silêncio, todos esperando a palavra final para ir embora e, do nada, uma mulher se levanta um tanto descontrolada no altar. Eu ainda estava de pé no púlpito, vendo e orando em espírito: "Santo Espírito, derrama-te com todo o teu poder".

Se isso não fosse suficiente, todos os pastores da igreja estavam sentados atrás de mim, vendo toda aquela falta de ordem. Em meio à situação, o pastor

Abismo chama abismo

encarregado da reunião pediu o microfone. Nesse momento, disse a mim mesmo: "Bem, isso é bem do tipo das Noites de Glória. Prepare-se para ir embora".

Então, o pastor disse exatamente o que eu estava esperando ouvir: "Com certeza, o Espírito Santo está aqui". Minha primeira reação foi que esse homem estava mais louco do que eu, porque a mulher não pararia de pular, gritar e rir com sinceridade em seu coração. O pastor continuou: "Essa mulher foi verdadeiramente enchida da presença de Deus porque alguns dias atrás seu marido foi morto e hoje essa Escritura foi cumprida em sua vida. Por ser viúva, o Espírito de Deus mudou seu pranto em alegria e sua angústia em louvor".

Nesse momento, olhei em direção à galeria e orei pelos que estavam ali. Todos começaram a ser cheios do Espírito Santo e caíam no chão sob o poder de sua unção. Algumas pessoas inclusive foram tocadas pelo fogo de Deus na própria pele e ficaram acamadas aquela semana. Por favor, não me peça para explicar isso. A única coisa que posso dizer é que eu fui testemunha de todos esses acontecimentos. Vimos tantas coisas que eu poderia escrever um livro somente com as experiências que compartilhamos aqueles dias nessa igreja. Foi realmente impressionante e incrível; algo do qual nunca me esquecerei.

A unção é e sempre será dada para o propósito que Deus estabelece: para o que a Palavra ordena, não para o que cada um de nós imagina ou deseja.

EM HONRA AO ESPÍRITO SANTO

Há pessoas que anseiam ter unção para qualquer coisa. Têm uma ideia utilitária do que seja e pensam que se trata de um reparo para qualquer situação. Devemos ter cuidado com esse tipo de mentalidade e não brincar ou zombar de sua realidade. Lembre-se de que a unção é como uma insígnia que identifica aqueles que buscam o Senhor e sua presença. Por trás dessa busca, há encontros íntimos, próximos entre Deus e homens e mulheres. Respeite aqueles que são ungidos e o demonstram publicamente porque eles experimentam uma realidade, não um conceito.

> A unção é e sempre será dada para o propósito que Deus estabelece: para o que a Palavra ordena, não para o que cada um de nós imagina ou deseja.

MAIS DERRAMAMENTO DE SUA UNÇÃO

Aquelas reuniões gloriosas culminaram com um evento especial para mulheres. No sábado em um hotel da cidade, experimentamos um profundo tempo de adoração e louvor. O momento de ministrar a Palavra e a unção estava se aproximando e, embora eu soubesse que mensagem pregaria, minha fé me dizia que algo exclusivo e poderoso aconteceria.

Quando chegou o momento de ministrar a Palavra, eu pedi ao Espírito que me guiasse. Abri a Bíblia como de costume e comecei a pregar. Depois de alguns minutos, o ambiente estava completamente mudado, e a presença de Deus começou a se manifestar. Era como um manto que cobria cada um dos presentes.

Quando a unção começa a cobrir a vida de uma pessoa, o ambiente pode mudar e se tornar um lugar de poder, não necessariamente de emoção, mas certamente de poder.

Curiosamente, algumas mulheres começaram a ser cheias do vinho do Espírito e pareciam embevecidas em seus assentos. Eu lhes pedi que trouxessem todas as pessoas que tinham sido cheias do Espírito, e o que aconteceu é que foram as esposas dos pastores e ministros que os haviam acompanhado à reunião. Eu fui tremendamente tocado por ver como o Espírito Santo conduziu toda a reunião. Cada um dos ministros e pastores também ficou tomado com a unção de Deus que lhes concedeu um intenso reavivamento na vida e no ministério.

> Quando a unção começa a cobrir a vida de uma pessoa, o ambiente pode mudar e se tornar um lugar de poder, não necessariamente de emoção, mas certamente de poder.

Mais uma vez, o derramamento da unção havia me surpreendido. O derramar do poder de Deus foi tão forte que, ao terminar a reunião, eu desci da plataforma e busquei um lugar para estar a sós com Deus. Eu me ajoelhei diante dele e o adorei. Eu estava totalmente maravilhado e sentia um temor reverente dentro de mim. Em outras palavras, estava com medo, estupefato. A manifestação de seu poder foi tão esmagadora, que eu sinceramente me considerei indigno de sua presença.

Na quinta-feira da semana seguinte, saímos para jantar com o pastor daquela igreja e dois amigos de ministério em um restaurante localizado no chamado "point" da Cidade da Guatemala, um bairro com um grande número de restaurantes e lanchonetes onde as pessoas passam um tempo agradável com amigos. Todos fizemos a pergunta de sempre: "Onde vamos comer?", e respondemos como é normal: "Em qualquer lugar". Ninguém queria decidir e todos diziam o mesmo: "Você escolhe", "Onde você quiser", "Para mim, qualquer lugar".

Depois de certo tempo, escolhemos um restaurante italiano. Quando chegamos ali, era impossível encontrar uma mesa porque o lugar estava repleto e, por isso, esperamos alguns minutos até encontrar uma mesa lateral, quase na rua. A mesa estava em uma área em que qualquer um que entrasse ou saísse do restaurante podia vê-la. Foi uma noite aparentemente normal. Estávamos totalmente envolvidos na conversa, e o assunto principal era a unção do Espírito Santo e seus milagres.

Um dos pastores nos contava algumas das coisas maravilhosas que havia acontecido com as pessoas de sua igreja durante aquela semana. Depois outro pastor peruano e amigo meu, que meses antes tinha me convidado para ministrar em sua igreja, me perguntou se eu me lembrava de um homem portador de deficiência por quem minha mulher e eu tínhamos orado. Claro que me lembrava dele, porque em várias ocasiões ele tinha sido enchido do Espírito Santo sentado em sua cadeira de rodas, embora eu não entendesse por que ele não tivesse podido caminhar. Meu amigo me disse que depois recebeu uma ligação telefônica do Peru e a pessoa lhe disse que, quando o homem foi à igreja no domingo seguinte, ele andou sem a cadeira de rodas e sem a ajuda de sua irmã que sempre o havia assistido. Finalmente, durante aquela reunião entre amigos, pudemos

Abismo chama abismo

compartilhar muitos testemunhos semelhantes que nos deixaram simplesmente extasiados.

Esses milagres deveriam ter me feito sentir muito bem, porque eu tinha sido a pessoa que ministrara em muitas dessas ocasiões e pudera sentir o poder de Deus em mim. Claro que não existe ninguém chamado pelo Senhor para o ministério que não deseje ser usado por ele. Qualquer um em circunstâncias parecidas ficaria feliz, mas eu não me sentia assim. Comecei a me sentir vazio, ainda mais do que antes de receber a unção do Espírito, mesmo que o sentimento fosse totalmente diferente.

Comecei a soluçar como uma criança em um momento difícil sem que os pais estejam por perto para ajudá-la. Chorei com uma sensação de perda, como alguém em um funeral chora a morte de uma pessoa amada. O que eu não sabia era que estava chorando pelo meu próprio funeral.

Isso estava acontecendo bem na minha frente, diante de todo mundo, sentado naquele lugar com multidões de gente que me acompanhavam. Naturalmente, todos começaram a me olhar. Até mesmo meus amigos ficaram perplexos com o que estava acontecendo e até hoje não entendem a amplitude do que aconteceu, porque eu nunca lhes disse tudo o que eu estava experimentando. Era algo aterrador, um sentimento de morte dentro de mim, e, bem, era exatamente o que estava acontecendo. Eu fui tomado de um desejo profundo de morrer para mim mesmo. Eu queria ser um autômato para Deus, um ser sem nenhum livre-arbítrio, completamente obediente a cada ordem dele. Eu não queria ter vontade própria.

Certamente não é o que Deus quer de nós; ao contrário, ele deseja que o sirvamos voluntariamente e vivamos para obedecer a ele. Não interprete mal minhas palavras, mas a única coisa que eu queria naquele momento era deixar de viver para mim mesmo. Eu anelava viver totalmente para ele, só para ele, não para exercer o ministério que eu dirigia, nem por nada nem ninguém. Eu sempre pedi ao Espírito de Deus: "Não eu, mas tu, Senhor. Não minha presença, mas a tua". Nesse momento, o sentimento era tão profundo que essa oração tão simples expressava o maior desejo da minha vida.

Embora alguns pensem que eu estivesse errado, a única coisa que eu desejava profundamente no meu coração era viver como um robô, sem questionar nem duvidar das ordens mais simples de Deus. Eu queria ser um completo escravo de Jesus e de seu Espírito, embora eu seja seu filho e herdeiro.

O único pedido dentro de mim era: "Mais de ti e menos de mim, Senhor". Eu perguntei ao Espírito Santo o que estava acontecendo comigo e por que eu me sentia mais vazio do que antes. Naquele momento, ele me trouxe à mente o texto de Salmos 42.7, que diz: "Abismo chama abismo ao rugir das tuas cachoeiras; / todas as tuas ondas e vagalhões se abateram sobre mim". Então, encontrei a resposta para o que eu estava experimentando. A profundeza estava chamando a profundeza para que eu pudesse ser posicionado diretamente abaixo de sua cascata de poder e ser cheio dele.

Na noite em que Sonia e eu mergulhamos durante a visita de sua presença, aquele desejo por sua unção tinha sido preenchido. Por onze anos, eu tinha orado, pedindo ao menos uma gota de sua unção para saciar a minha sede. Quando o poder divino veio sobre mim, esse desejo profundo de sua unção tinha sido preenchido, chamando-nos para algo mais profundo, que foi o desejo de ser usado com poder. No momento em que esse segundo vazio foi preenchido, eu fui imediatamente chamado para um terceiro profundo desejo, que era ser completamente obediente a Deus a fim de sucumbir à vontade dele.

Então, compreendi que naquele restaurante eu desejava obedecer a ele em tudo. Eu anelava ir aonde quer que ele me levasse, não para onde eu quisesse ir. Eu desejava dizer somente o que ele me mandasse. Estava ávido para aplicar o mesmo nível de obediência em cada área da minha vida, família e ministério. Eu repetia vária vezes: "Abismo chama abismo ao rugir das tuas cachoeiras".

Quando algo profundo transborda com o Espírito, vá e encontre dentro de você mesmo outra área profunda que esteja vazia e clame para que ela esteja debaixo da mesma cachoeira a fim de ser preenchida. Por exemplo, se você sente um vazio interior na sua vida que foi preenchido pela presença de Deus e depois de um tempo sente um vazio no íntimo novamente, isso se deve

EM HONRA AO ESPÍRITO SANTO

provavelmente não à mesma área, e sim a outra. Trata-se possivelmente de uma área profunda que deseja amar a Deus da mesma forma com que ele nos ama. Quando esse vazio é preenchido, ele clama à área profunda da "santidade", para que também seja banhada pelas cachoeiras do Espírito. Quanto mais você beber dele, sempre haverá outra área profunda a ser preenchida por ele.

ÁREAS PROFUNDAS

Que área profunda está sendo revelada no seu íntimo neste momento? Vá ao Deus vivo e apresente-a diante dele, porque ele o encherá. Quando gastamos tempo na presença de Deus, sedentos por seu amor, ele nos enche e faz isso a seu modo, não como alguns imaginam que deveria fazê-lo. Muitos pensam que Deus lhes dará um copo cheio de água, mas se enganam. Ele nos faz beber exatamente como conduz uma gazela sedenta e ofegante à margem de um rio para saciar sua sede.

O salmista diz:

> "Como a corça anseia por águas correntes,
> a minha alma anseia por ti, ó Deus.
> A minha alma tem sede de Deus, do Deus vivo.
> Quando poderei entrar para apresentar-me a Deus?"
> (42.1,2).

Quando está com sede, a corça não busca um vaso de água, mas vai às correntes de um rio para beber e saciar a sede. A corça aparece na beira da água exatamente como você e eu devemos nos apresentar diante do Senhor. Se você está sedento dele e quer beber de sua presença, se deseja beber do vinho do Espírito Santo, você deveria responder à mesma pergunta que o salmista faz: "Quando poderei entrar para apresentar-me a Deus?". Quando poderei gastar tempo suficiente com ele para satisfazer a minha sede? Quando?

Não se trata de buscar água para encher um vaso. Você deve ir e submergir no rio de Deus. A corça aproxima-se das águas correntes e começa a beber e beber, e logo se dá conta de que todas as cachoeiras e ondas do rio se abatem contra ela.

Assim é como Deus está com aqueles que genuinamente bebem dele e o buscam. Ele não lhes dá água para beber em uma xícara ou jarra, nem os limita à margem do rio. Quando ele o vê beber de sua presença, o toma e o mergulha completamente. Depois, sem perceber, todas as ondas e cachoeiras se arrebentam sobre você, a ponto de ver-se imerso nele, bebendo continuamente.

A sede espiritual é diferente da sede física, pois esta faz parte da nossa constituição corporal. A sede natural é satisfeita quando se bebe água; contudo, a sede espiritual aumenta quando bebemos do Senhor. A mesma comparação pode ser feita com a fome física, que desaparece quando comemos. Em contraste, a fome espiritual cresce a cada refeição da Palavra de Deus. Minha oração é que um dia, depois de tanto comer e beber da Palavra de Deus, você se torne totalmente dependente de sua presença e de sua Palavra.

7

Ordens estranhas

Na primeira vez em que orei pela cura de uma pessoa, algo estranho e um tanto inesperado aconteceu. Sonia e eu ainda namorávamos e, quando eu a levava para casa certo dia, recebi uma mensagem. Naquela noite haveria uma vigília de oração na igreja em que eu estaria presente, e alguém da coordenação estava tentando me encontrar para dizer que a minha presença era necessária na igreja.

Quando eu cheguei, a pessoa que estava encarregada de pregar me cumprimentou e disse que estava impossibilitada de fazê-lo e que eu seria o pregador da noite. Perguntei-lhe um tanto surpreso: "Por quê?". Ela respondeu: "Esteja pronto em dez minutos". Naquele momento pensei na desculpa perfeita: "Você não poderia ter me avisado 15 dias antes para que eu me preparasse e pudesse cumprir melhor essa tarefa?". Se eu tivesse lhe dado essa resposta, eu apenas estaria defendendo o meu ego. As pessoas, em geral, fazem isso para evitar riscos. Mas Deus ama usar pessoas que morreram para seus próprios desejos. Por isso, perguntei ao Senhor o que eu poderia pregar, e ele respondeu: "Fale sobre cura e fé".

Eu prontamente obedeci. Depois de pregar sobre fé, um dos líderes da igreja se aproximou e disse: "Eu tenho uma perna mais comprida que a outra; você poderia orar por mim para que a perna menor cresça?". Eu nem sequer toquei nas pernas do homem e todos os olhos se voltaram para mim para ver o que aconteceria. Senti uma enorme pressão naquele momento. E se nada acontecesse? E se, em vez de a perna menor crescer, a maior diminuísse? O que diriam todos se a perna não crescesse?

Se for honesto com você mesmo, você verá que nesses momentos de pressão o seu pensamento não será: "O que estas pessoas pensam sobre Deus?", mas, sim: "O que todos vão pensar de mim se nada acontecer?". Ninguém gosta de passar por esse tipo de pressão, e é por esse motivo que muitos não ousam ministrar milagres. Naquela noite, eu me armei de fé e peguei a perna do homem nas mãos, fechei os olhos e disse em voz alta: "Pai, faze esta perna crescer".

Quando ouvi os gritos das pessoas ao nosso redor, eu imediatamente abri os olhos. Naquele exato momento a perna começou a crescer em frente de todos os que me rodeavam. Foi um milagre visível. Algo glorioso! Em seguida, todos desejavam que eu orasse por eles, e logo havia uma fila longa de pessoas esperando para receber um milagre. Vimos muitas curas naquela noite.

O Espírito Santo é um dom que Deus nos deu, não um prêmio. Claro que andar no poder e na unção do Espírito Santo depende de nós e da nossa obediência. Naquela reunião de oração, nós testemunhamos grandes milagres porque eu obedeci quando me disseram que eu ministraria. Eu não resisti nem reclamei porque me chamaram apenas alguns minutos antes de começar.

A Palavra de Deus diz em Atos 5.32: "Nós somos testemunhas destas coisas, bem como o Espírito Santo, que Deus concedeu aos que lhe obedecem". E em Salmos 45.7, lemos:

> "Amas a justiça e odeias a iniquidade;
> por isso Deus, o teu Deus,
> > escolheu-te dentre os teus companheiros
> > ungindo-te com óleo de alegria".

A presença do Espírito Santo é um presente que Deus nos dá para que saibamos que ele sempre está conosco e que nunca nos abandonará. Somente temos de pedir, e ele nos dará. No entanto, a unção é diferente. É o poder de Deus que cobre a pessoa e a segue aonde quer que vá. A unção vem sobre nós por meio de nossa obediência a Deus ao crer nele. É ele que deseja nos ungir e nos dar poder, mas, para recebê-lo, você deve ser obediente às orientações e instruções divinas.

> A unção vem sobre nós por meio de nossa obediência a Deus ao crer nele.

DESAMARRAR O JUMENTO

Muitas vezes, Deus nos pede coisas incomuns. Embora nos possam parecer impossíveis, é sua forma de nos moldar. Podemos ver algo desse tipo em sua Palavra, por exemplo, no relato de Lucas 19.29-34:

EM HONRA AO ESPÍRITO SANTO

> Ao aproximar-se de Betfagé e de Betânia, no monte chamado das Oliveiras, enviou dois dos seus discípulos, dizendo-lhes: "Vão ao povoado que está adiante e, ao entrarem, encontrarão um jumentinho amarrado, no qual ninguém jamais montou. Desamarrem-no e tragam-no aqui. Se alguém perguntar: 'Por que o estão desamarrando?' digam-lhe: O Senhor precisa dele". Os que tinham sido enviados foram e encontraram o animal exatamente como ele lhes tinha dito. Quando estavam desamarrando o jumentinho, os seus donos lhes perguntaram: "Por que vocês estão desamarrando o jumentinho?" Eles responderam: "O Senhor precisa dele".

Imagine, por um momento, essa ordem sendo dada aos discípulos e sua reação quando eles a ouviram. Seria semelhante ao seu patrão enviá-lo a uma cidade próxima para pegar um carro novo de um negociante e você simplesmente dizer: "É para o meu chefe". Posso imaginar os dois discípulos conversando um com o outro, pensando em como essa ordem de Jesus era estranha. Talvez sua conversa tenha sido algo como: "Você acredita no que o Mestre nos pediu para fazer?". "Sim", responderia um deles. "O dono vai pensar que queremos roubar o jumento e virá atrás de nós. Você não acha que seria mais fácil se simplesmente pedíssemos umas ofertas e comprássemos um novo jumento para o Mestre?". Quando chegaram ao lugar e encontraram o jumento amarrado, provavelmente disseram: "Quem de nós vai desamarrá-lo?". "Eu não!" "Ok, eu faço isso, mas, se alguém perguntar qualquer coisa, você responde."

Ordens estranhas

Independentemente de todas as perguntas e dúvidas que pudessem ter tido sobre aquela instrução tão incomum, eles simplesmente obedeceram à ordem de Jesus.

Nas ocasiões em que Deus nos pede algo pouco usual ou difícil para a nossa compreensão, é aí que devemos morrer para o nosso ego e orgulho. É nessas situações que Deus nos molda para nos ungir.

Como seres humanos, temos um problema quando conversamos sobre unção; a questão é, em geral, sobre o instrumento que Deus escolhe para transferir sua unção à pessoa que ele unge, porque muitas pessoas creem que seja difícil andar em obediência. Queremos obedecer a Deus, que não vemos, mas é difícil para nós obedecer às pessoas que vemos. Portanto, Deus nos molda, estabelecendo autoridades sobre a nossa vida que nos dão ordens e nos corrigem.

> Nas ocasiões em que Deus nos pede algo pouco usual ou difícil para a nossa compreensão, é aí que devemos morrer para o nosso ego e orgulho.

Como filho, em tudo o que faz você está sujeito a alguém: aos seus pais em casa, aos professores na escola, ou ao patrão no trabalho. Deus faz isso, porque quer nos dar seu poder, mas ele sabe que não há nada mais perigoso que uma pessoa ungida e desobediente. É por isso que o Senhor nos submete a autoridades. Ele deseja que você trabalhe em você mesmo e morra para a própria natureza carnal.

A obediência é o que nos faz morrer para nós mesmos. Criatividade, desejos e aspirações talvez não

EM HONRA AO ESPÍRITO SANTO

nos ajudem nesse processo. A obediência que demonstramos para com Deus nos ajuda a morrer para a nossa vontade, o nosso ego e o nosso orgulho. Leva-nos a abraçar as decisões às quais o Espírito Santo nos conduz.

Ao lhes dar essas instruções tão incomuns, o Senhor Jesus estava formando seus discípulos para andar sob a unção que ele tinha reservado para eles. Ele os estava treinando e ensinando a obedecer àquele que podiam contemplar, para depois obedecer àquele que não podiam ver. Assim que aprendessem a obedecer, o próprio Jesus lhes daria o Espírito Santo para ser seu guia.

Creio que naquele tempo havia outras pessoas mais preparadas que os discípulos que Jesus chamou. No entanto, esses foram os que mostraram maior desejo e vontade de servi-lo e segui-lo. Certamente, havia pessoas com um caráter mais seguro que o de Pedro. Este era impulsivo, sempre andava armado e chegou inclusive a cortar a orelha de um soldado. Alguns pastores nem sequer deixariam um Pedro conduzir o fluxo de pessoas em suas igrejas! João e Tiago quiseram pôr fogo em Samaria, porque não foram bem recebidos ali e até mesmo ousaram dar essa sugestão ao Senhor. Apesar de todos os defeitos desse grupo, ele era obediente; e esse era o diferencial do ponto de vista de Jesus.

Quando andamos em obediência a ele, seu poder manifesta-se na nossa vida. Se você quiser andar em unção e desejar o poder de Deus em sua vida, então deverá ser obediente às ordens e solicitações que o Senhor dará. Você também deverá obedecer às ordens

Ordens estranhas

que receber de autoridades terrenas, como pais, professores, pastores, chefes, entre outros, sempre que isso
não implicar algum tipo de pecado.

PAGAMENTO DE IMPOSTO

Em Mateus 17.24-27, encontramos um relato sobre
o pagamento do imposto do templo. Alguns cobradores
de impostos desafiaram Pedro, perguntando-lhe se
seu mestre pagava o imposto devido ao templo como
qualquer outro cidadão. Além do interesse financeiro
desses líderes, eles queriam encontrar alguma falha da
qual pudessem acusar o Senhor.

Quando Pedro voltou para casa, ele não disse nada
a Jesus sobre o assunto. Foi Jesus que tocou no assunto
e disse que, para não ofender os demais, ele pagaria o
imposto. Em seguida, diz a Pedro para ir pescar, dando-
-lhe instruções bastante específicas: ir ao mar e jogar
o anzol, e que o primeiro peixe que pegasse teria uma
moeda de quatro dracmas na boca. Com essa moeda,
Pedro deveria pagar o imposto em nome de ambos.

Pense um momento. Pedro era um pescador profissional que sabia lançar suas redes ao mar como meio
de vida; tinha inclusive trabalhadores sob suas ordens.
Era um homem de negócios, um homem que pescava
com redes, não com uma vara. Eu gostaria de saber
como Pedro deve ter se sentido ao ouvir um carpinteiro
dizer a ele como devia pescar. Talvez isso lhe tenha
parecido um pouco ofensivo, razão suficiente para um

EM HONRA AO ESPÍRITO SANTO

pescador especialista feito Pedro ignorar esse tipo de instrução. Isso, porém, não era tudo. Além de dizer a Pedro para pescar com um anzol, Jesus também lhe disse que o primeiro peixe que ele pescasse teria uma moeda na boca que seria usada para pagar o imposto. Que peixe, tendo uma moeda na boca, pode morder um anzol? Qualquer um que conheça um pouco de pescaria diria que essa ideia era absurda, mas Pedro nem pensou sobre o assunto; ele simplesmente obedeceu.

Posso imaginar o que pensaram os cobradores de impostos. Talvez tivessem visto Pedro sair com uma vara de pescar no ombro, em direção ao mar. "Que cena estranha!", talvez pensassem. Pedro sentou-se à beira da praia e lançou o anzol no mar, sem saber exatamente o que esperar. Talvez olhasse de um lado para o outro, esperando que ninguém mais o visse e em seguida visse aqueles cobradores surpresos que não tiravam o olho de cima dele. Estes foram os mesmos homens que o tinham acusado de não pagar o imposto e agora o viam com uma vara de pescar na mão. O grande pescador parecia aqui um amador. Talvez até tivessem zombado dele, insinuando que se recusava a pagar o imposto e questionando como esperava obter a moeda com aquela atitude.

Talvez dissessem: "Você deixou as redes para seguir um homem que não paga seus impostos e agora tudo o que você tem é uma vara de pescar". Apesar de toda essa possível humilhação, Pedro não largou a vara de pescar até que o peixe mordeu o anzol. Ele o puxou para fora da água, curioso para ver que tipo de peixe teria engolido uma moeda e como a encontraria. Para surpresa geral, a moeda estava no primeiro peixe apanhado, exatamente como Jesus lhe havia dito.

Sair para pescar daquele jeito pode ter sido humilhante para ele, mas essa é a única forma de podermos morrer para nós mesmos. Pedro tinha aprendido que, quando obedecia, a mão de Deus pairava sobre ele e tudo ia bem. Não nos esqueçamos de que Jesus também foi humilhado na cruz do Calvário; em seguida, depois de ressuscitar, ele disse que todo o poder lhe havia sido dado. A unção repousa de forma mais poderosa sobre aqueles a quem se pediu algo incomum, de que não gostavam, coisas que os levaram a morrer, e que mesmo assim não deixaram de cumpri-las. Esses são os que não dão nenhuma desculpa para se livrar, livrar seu ego ou sua reputação e evitar fazer algo para o qual foram designados. Pelo contrário, deixam de lado o orgulho e não se escondem de nenhum tipo de aparência de espiritualidade que possa impedi-los de andar na unção do Espírito Santo. Por esse motivo, o Senhor vai adiante deles, a todos os lugares, com poder.

O HOMEM COM UM POTE DE ÁGUA

O terceiro exemplo que quero dar se encontra em Lucas 22.7-13. Havia chegado o dia da Páscoa judaica, e Jesus celebraria essa ocasião com seus discípulos. Ele pediu a Pedro e a João que deixassem tudo pronto. E lhes disse que quando entrassem na cidade encontrariam um homem carregando um pote de água, ao qual deveriam seguir para ver em que casa ele entraria. Em

EM HONRA AO ESPÍRITO SANTO

seguida, deveriam pedir ao dono da casa o andar superior, ou salão de hóspedes no andar de cima, onde o Mestre comeria a Páscoa com seus discípulos. Assim o fizeram e, depois de seguir o homem com o pote de água, entraram na casa e prepararam o salão para a Páscoa.

Posso imaginar Pedro e João sem entender bem o que Jesus lhes pedia até que começaram a executar tal tarefa. Naqueles dias, os homens não carregavam potes de água, pois era um trabalho para mulheres. Isso significa que eles nunca tinham pensado como seria estranho encontrar um homem carregando um pote de água; muito menos como seriam considerados dois homens seguindo outro por toda a cidade até entrarem em uma casa. O homem com o pote deve ter se sentido vigiado, seguido, e todos na vizinhança deviam conhecê-lo, mas a surpresa foi que aqui ele estava sozinho, embora seguido por dois homens. Creio que algumas pessoas podem ter começado a caçoar deles; outras, talvez, tenham dito certas coisas. Ambos, porém, não hesitaram em obedecer às instruções do Mestre.

Pense por um momento no tipo de instruções a que os discípulos de Jesus estavam obedecendo. Imagine como era difícil para aqueles homens ir e desamarrar um jumento, cujo dono lhes questionasse os motivos de tal atitude, ou quão ilógico era que Pedro fosse pescar para encontrar uma moeda na boca do peixe quando havia formas melhores que aquela de pagar impostos. Já os dois apóstolos que tiveram de perambular pela cidade seguindo um homem com um pote de água provavelmente se sentiram desconfortáveis, mas o que o Mestre estava buscando era que morressem para sua natureza carnal e aprendessem a obedecer.

Depois, o Senhor levou esses dois homens diante do Espírito Santo e disse: "Esses homens não podem ver-te, mas eu os tenho moldado para seguir cada ordem minha; embora em sua mentalidade possa parecer ridícula ou absurda, eles obedecem. Se eles são capazes de desamarrar um jumentinho e trazê-lo a mim, então serão capazes de fazer qualquer coisa que pedires a eles".

Imagino que Jesus também foi até Pedro e lhe disse: "Venha aqui; quero que conheça alguém a quem não pode ver, mas a quem pode obedecer porque, se você foi capaz de obedecer à minha ordem de pescar e encontrar uma moeda da boca de um peixe, espere e veja as ordens que ele dará a você". Em seguida, deve ter apresentado Pedro ao Espírito Santo, dizendo: "Ele se dispôs a me obedecer em situações que podem ter parecido incomuns; portanto, tenho a certeza de que será capaz de obedecer a ti igualmente".

Ele também deve ter chamado os dois discípulos que seguiram aquele homem com o pote de água e provavelmente lhes disse: "Sei como foi incômodo naquele dia, mas eu também sei que ambos já não são aqueles homens comuns, porque aprenderam a lição". Em seguida, levou-os até o Espírito Santo e disse: "Estes dois discípulos são capazes de seguir um homem com um pote de água. Eu os confio aos teus cuidados, porque sei que os ungirás".

EM HONRA AO ESPÍRITO SANTO

Agora pergunto: o Senhor pode tomar a sua mão e dizer: "Você obedece aos seus pais e os que têm autoridade sobre você" e, depois, apresentá-lo ao Espírito Santo por ter obedecido em tudo àqueles que é capaz de ver, para, em seguida, ser capaz de obedecer a ele, que você não vê?

É UMA QUESTÃO DE OBEDIÊNCIA

O discipulado com Jesus é comparável à educação que um pai dá a uma filha, a qual dará no altar a um noivo, no futuro. Ele a ensina como ser submissa e obediente a ele, para que um dia a leve a outro. Nesse dia, ele será capaz de dizer ao noivo: "Eu tenho cuidado dela e a moldado durante anos. Tenho certeza de que é uma mulher consciente de seu papel e potencial que honrará você em tudo. Portanto, sei que tudo irá bem com vocês".

Discipular é moldar alguém para que outra pessoa se encarregue dele. Se você aprender a obedecer àqueles que pode ver, o Espírito Santo será capaz de confiar em você com sua unção poderosa. Ele sabe que, se um filho pode obedecer a seus pais, mesmo quando não compreende suas instruções, ou que um trabalhador pode se submeter a seu chefe mesmo nos piores momentos, então será capaz de obedecer a Deus em tudo. Ele nos porá sob autoridade para que sejamos moldados e nossas atitudes se tornem evidentes. Nesse processo, o Espírito Santo mantém os olhos em nós para ver que lhe obedeceremos.

É por isso que, anos mais tarde, o apóstolo Pedro foi usado para levar o evangelho pela primeira vez aos gentios e, dessa forma, abrir a porta da salvação àqueles de nós que não somos judeus. O Espírito visitou-o e deu a ele uma visão na qual viu um grande lençol descer do céu com cada tipo de animal, alguns puros e outros impuros; depois ouviu uma voz do céu, que dizia: "Não chame impuro aquilo que Deus purificou". Naquela mesma hora, alguns homens, enviados pelo Senhor, visitaram a casa onde ele estava hospedado para pedir que os acompanhasse até a casa de Cornélio, onde os gentios estavam esperando que Pedro lhes falasse sobre o Reino de Deus. Assim como todos os judeus, Pedro não achou correto visitar a casa de estrangeiros, muito menos de não judeus, mas ele compreendeu a ordem do Senhor para não considerar impuro ninguém que Deus havia purificado.

Devemos nos acostumar a obedecer mesmo sem entender completamente. O apóstolo Pedro seguiu as instruções que o Senhor lhe deu e foi com eles. Embora ir àquele lugar talvez não fosse do agrado de Pedro, ele foi sem objeção. Pedro pôde ir aos gentios porque já havia sido formado no dia em que fora pescar e conseguiu a moeda da boca do peixe. Ele era um daqueles que obedeciam a ordens estranhas, como aqueles que rodearam uma cidade, seguindo um homem com um pote de água. É por esse motivo que, quando o Espírito Santo precisava de um homem para levar as boas-novas aos gentios, ele sabia que podia contar com Pedro. A unção fora derramada sobre eles pela primeira vez, porque Deus encontrou em Pedro um homem obediente.

Há pessoas que desejam ter a unção, mas não desejam manter um relacionamento com o Espírito Santo que lhes dá a unção. Falando de modo geral, há pessoas que prestam mais atenção nos dons que o Espírito Santo pode lhes dar e os desejam, mas não seguem as instruções do mesmo Espírito nem se deixam ser guiadas por eles em sua vida diária. Quando cremos em Deus, obedecemos à sua Palavra. Ninguém pode dizer que crê em Deus se não obedece à sua Palavra, porque aquilo em que realmente se crê se reflete na obediência que se demonstra.

Creio que os milagres do Senhor se manifestam na minha vida não apenas porque tenho um dom especial, mas também porque obedeci a suas ordens de orar pelos doentes. Orar pelos enfermos é uma ordem que todos recebemos, não somente os que têm dons de cura. Ouse impor suas mãos sobre os doentes e creia que os milagres acontecem. Não tenha medo de enfrentar os que o podem criticar se nada acontecer naqueles por quem orar. A unção acompanha a obediência. Se você não estiver disposto a obedecer e a fazer o que não deseja fazer, nunca verá uma unção poderosa em sua vida e ministério. Talvez você tenha momentos de unção e tenha momentos preciosos na presença de Deus, mas para ver o poder de Deus fluir de modo contínuo em sua vida é uma questão de fé e obediência.

> Se você não estiver disposto a obedecer e a fazer o que não deseja fazer, nunca verá uma unção poderosa em sua vida e ministério.

8

Ministrando diante do Senhor

Em geral, as pessoas me perguntam quanto tempo dedico à oração. Por trás dessa pergunta, há a crença de que a quantidade de tempo em oração é proporcional à quantidade de unção que se derrama nas reuniões da igreja. Nunca respondo a essa pergunta, porque não depende do que elas pensam. A Bíblia não equaciona a eficácia da oração segundo o tempo que se dedica a ela. Se isso fosse verdade, tudo seria tão simples, porque, então, bastaria repetir palavras feito um papagaio e as pessoas aumentariam a unção de Deus sobre elas mesmas.

Quando as pessoas perguntam sobre oração, em geral imaginam que o poder está mais relacionado com a duração de uma oração do que com o próprio Deus que responde às orações. O que é importante é orar com fé, porque todas as coisas são possíveis aos que creem. O apóstolo Tiago nos ensina que a oração eficaz do justo pode alcançar muita coisa. A palavra "eficaz"

EM HONRA AO ESPÍRITO SANTO

está relacionada a eficiência e significa alcançar objetivos em determinado período de tempo. Portanto, a sua oração deve ser eficaz a fim de produzir os frutos e as respostas de que necessita.

Outra pergunta que as pessoas normalmente fazem é sobre o preço que temos de pagar para obter a unção de Deus. Minha resposta é que o Senhor Jesus Cristo é aquele que já pagou o preço na cruz do Calvário, derramando seu sangue por todos nós. Seu sacrifício abriu a porta para que nós recebêssemos o Espírito Santo. Não há nada que possamos fazer pelos nossos próprios esforços que pudesse ser maior que o preço pago pelo Senhor Jesus. Seria arrogante da minha parte dizer que foram os anos de oração ou sacrifícios que alcançaram o derramamento de sua unção.

Ouço muitos dizerem que uma vida de santidade foi o preço que pagaram, mas no meu caso tudo o que tive de fazer foi obedecer àquele que chamamos Senhor. É o que devemos fazer. Outros dizem que viajar e deixar a minha família por causa da obra do Senhor é parte desse preço, mas os mesmos sacrifícios fazem os médicos que estão de plantão ou os militares que são transferidos de uma base a outra. O mesmo é verdade em relação aos que têm de levantar cedo ou permanecer acordados até tarde da noite por cuidar de um doente. Assim também fazem os pediatras quando ajudam crianças enfermas. As pessoas que trabalham em sua função também não ficam exaustas quando têm de atingir metas? Então, por que os líderes cristãos pensam que somos os únicos chamados para "pagar o preço"? Nós simplesmente não podemos estabelecer um preço na unção. Jesus Cristo já pagou todo o preço devido, e é a fé em sua obra completa que nos permite ver sua glória.

Orar e buscar sua face não é um preço a ser pago, mas algo para se alegrar e desfrutar. É o maior prazer de todos. Como você pode caracterizar estar na presença de Deus e adorá-lo como sacrifício? Eu o busco porque o amo, não porque seja um requisito para obter a unção. Oro e peço coisas porque ele é o meu Pai e confio naquele que deseja me dar todas as coisas. Eu o busco persistente e continuamente, mesmo quando estou cansado, porque o amo.

ÚTIL E OBEDIENTE

No livro de Lucas 17.7-10, lemos um grande ensino que o Senhor nos deu sobre o trabalho e o serviço que devemos aos que têm autoridade sobre nós:

> "Qual de vocês que, tendo um servo que esteja arando ou cuidando das ovelhas, lhe dirá, quando ele chegar do campo: 'Venha agora e sente-se para comer'? Ao contrário, não dirá: 'Prepare o meu jantar, apronte-se e sirva-me enquanto como e bebo; depois disso você pode comer e beber'? Será que ele agradecerá ao servo por ter feito o que lhe foi ordenado? Assim também vocês, quando tiverem feito tudo o que for ordenado, devem dizer: 'Somos servos inúteis; apenas cumprimos o nosso dever' ".

Nessa passagem, o Senhor nos apresenta uma nova perspectiva quanto ao serviço. Desejo mostrar a

EM HONRA AO ESPÍRITO SANTO

você três coisas importantes que transformarão a sua atuação e busca por Deus. A primeira diz respeito à obediência; a segunda, ao respeito; a última refere-se a revestir-se para ministrar diante do Senhor.

A obediência no trabalho é um requisito que você deve cumprir. Muitos preferem fazer "o que acontece naturalmente" ou "o que eles sentem que devem fazer" em vez de fazerem o que são ordenados a fazer, o que nos mostra que por trás dessa "criatividade" e "ingenuidade" se esconde uma resistência à autoridade. Se deseja crescer no seu local de trabalho, faça prontamente o que pedem a você. Isso não significa que seja errado dar a sua própria opinião, mas que a sua prioridade deve ser cumprir bem e no tempo adequado todas as tarefas que vierem a pedir a você. Quando houver oportunidade, os seus chefes o promoverão por poder confiar em você. Portanto, a obediência o torna alguém qualificado para receber a bênção.

Não espere sempre receber "obrigado" por aquilo que fizer e não fique frustrado quando não receber nenhum reconhecimento. Pelo contrário, sempre seja grato por aquilo que receber para desempenhar, mesmo quando ninguém agradecer a você pelo que estiver fazendo. Nessa passagem, o servo se vê como "infiel", mesmo quando era obediente em tudo. Tudo o que ele fazia era o que lhe mandavam que fosse feito. Ele não esperava gratidão do chefe, porque sabia que o servo faz o que lhe é ordenado. Isso parece duro, mas não foi o Ministério do Trabalho que o escreveu. De acordo com o texto bíblico, quando fazemos apenas o que nos ordenam somos trabalhadores "inúteis". Só começamos a ser fiéis quando fazemos além do que esperam de nós.

Jesus ensinou obediência a seus discípulos. Ele os preparou para que fossem obedientes mesmo quando não mais pudessem vê-lo. Dessa forma, eles aprenderiam a seguir a orientação do Espírito Santo, que tampouco podiam ver. Devemos ensinar nossos filhos a obedecer, para que assim possam lembrar dos seus valores e pô-los em prática quando não estivermos mais com eles.

Lembre-se de que uma pessoa obediente é aquela que é capaz de agir conforme as instruções que recebe; por sua vez, a pessoa útil é aquela que faz mais do que lhe é pedido. O servo útil é o que faz mais do que lhe pedem. Jesus está buscando pessoas que sejam úteis e obedientes.

RESPEITOSO E PRONTO PARA SERVIR

Há muitos anos, era costume honrar os líderes e os mais velhos nas nossas comunidades. Considerava-se apropriado dar um presente ao professor ou dar a ele uma maçã. Hoje em dia, qualquer um que fizer isso é considerado bajulador. Também era comum ver todos os alunos ficarem de pé para cumprimentar um convidado quando este entrava na sala de aula. Hoje em dia, eles nem sequer se viram para olhar.

As tarefas diárias do servo na parábola eram lavrar a terra e guiar o rebanho. Além disso, lhe pediam para

EM HONRA AO ESPÍRITO SANTO

fazer outras coisas que não podiam ser ignoradas. Ele tinha que voltar para casa depois de um dia árduo e atender seu dono. Hoje poucas pessoas querem fazer mais do que lhes é pedido. Talvez seja essa falta de compromisso que tenha nos trazido à atual crise financeira e à presente falta de valores e declínio moral.

Atualmente, é difícil encontrar um assistente que seja atento e detalhista e que de fato sirva o patrão sem interesses escusos. Eu agradeço a Deus por ter uma assistente eficiente que me pergunta se pode ir para casa mesmo quando já terminou seu trabalho. Também posso pedir-lhe que me faça um café mesmo que essa tarefa não faça parte de seu contrato de trabalho ou de suas tarefas. Essa é a atitude correta que a pessoa deve ter. Você deve ser o trabalhador que passa pela sala do patrão para oferecer a ele um copo de água ou perguntar se algo mais é necessário. Mostre-se como um servo que não se restringe ao básico. Cuide do seu chefe e vá além das tarefas conferidas a você, como se o fizesse para o Senhor.

PREPARE-SE PARA RECEBER UMA BÊNÇÃO

Na parábola, lemos que no fim do dia o dono não pergunta ao servo se ele está cansado. Ele simplesmente lhe pede que prepare o jantar, que se apresse e o sirva. Após a refeição é que o servo recebe permissão para comer o que lhe cabe. Essa é uma grande promessa. Se o servo tivesse se retirado no final de um dia de trabalho para sua casa com os outros servos, ele teria comido a refeição dos trabalhadores. Mas, por ter ido à casa do dono, preparado seu jantar e o servido, ele teve a oportunidade de comer a mesma comida que seu dono e, o melhor de tudo, esteve em sua companhia à mesa. O servo que obedece e serve a seu dono recebe melhor comida e maior bênção no final do dia. Isso implica um esforço extra, porque requer dele algo além de sua responsabilidade. A chave é estar pronto, porque, ao fazer isso, você está se sujeitando.

Os que gostam de levantar peso, como os halterofilistas, ou os que fazem mudança, utilizam um cinto ou cinta que serve de suporte para o abdômen e protege as vértebras. Isso é exatamente o que devemos fazer. A fim de executar um grande esforço, devemos nos preparar para o serviço porque sempre haverá uma recompensa para aqueles que agem desse modo.

A Palavra de Deus e a revelação com as quais Deus me abençoa não se originam do cuidado com o rebanho, mas, sim, do meu preparo pessoal quando não tenho mais forças e ao estar diante do Senhor. Eu levanto as mãos e digo: "Aqui estou, pronto para servir e ministrar a ti. Diga-me o que mais o Senhor deseja".

No fim do dia, apresente-se diante do Senhor, sirva-lhe o jantar e pergunte-lhe tudo o que pode fazer por ele. Tenha a certeza de que a resposta dele será: "Fique aqui, coma comigo e conversaremos".

Sempre ofereça a melhor comida diante do Senhor porque você com certeza partilhará da mesma comida. Dê a ele a melhor adoração porque ele o honrará da

EM HONRA AO ESPÍRITO SANTO

mesma maneira. Separe um tempo especial para adorar o Senhor e ministrar a ele como nunca fez. Prontifique-se e atenda aos desejos do seu Mestre.

Não seja um servo inútil. Se estiver cansado, encontre um cinto ao qual se agarrar. Busque força onde for possível e sempre dê mais do que pedirem a você. Cuide daquele que dá ordens a você, sem se importar com o que os outros digam ou pensem. Ser um bom filho de Deus exige que você seja um trabalhador diligente e excepcional. Não importa qual seja o seu trabalho. Mostre sempre compromisso e seja útil. E, o mais importante: disponha-se ao Senhor; nunca se retire para dormir antes de servir-lhe e compartilhar um tempo de sua companhia.

O PERIGO DAS PREOCUPAÇÕES PESSOAIS

Todos nós conhecemos a história de Marta e Maria, duas irmãs que convidaram Jesus para jantar em sua casa. Enquanto Marta estava preocupada com suas tarefas domésticas, Maria estava sentada aos pés do Mestre, ouvindo-o. Marta estava aborrecida com ela por não ajudar em nada, por isso pediu a Jesus que advertisse Maria, mas ele responde que havia uma única coisa necessária e que Maria tinha escolhido a melhor parte.

Marta estava bastante preocupada no sentido de que tudo estivesse em ordem para seu convidado. Ela era produtiva, mas não deu tempo a si mesma para escutar o Senhor. Não há nada de errado em oferecer um banquete e gastar tempo para se assegurar de que tudo seja feito com excelência, mas isso não deve ser executado com uma atitude errônea. Deus não quer que sejamos preguiçosos nem negligentes, tampouco deseja que estejamos ultrapreocupados com nossa rotina diária. Ele sabe muito bem que o estresse físico pode fazer mal ao nosso corpo, restringir o nosso relacionamento com os membros da família e, acima de tudo, afetar a intimidade do relacionamento que ele deseja ter com cada um de nós.

Em geral, leva tempo aprender que o mais importante do mundo é o seu tempo a sós com Deus. Maria descobriu isso, e Jesus não a privaria desse presente. Preocupações excessivas sobre a vida e o engano das riquezas conspiram para nos separar da sua presença. Há aqueles que perderam a intimidade familiar por correr atrás de um melhor salário, uma casa maior ou um trabalho melhor. Eles se preocupam tanto com diferentes coisas que não têm tido tempo para descobrir o que realmente tem valor na vida. Não entenderam que o homem não vive somente de pão, mas de toda palavra que sai da boca de Deus.

Gaste tempo ouvindo Deus. Se desejar ouvi-lo, deve livrar-se de tudo que o sufoca. Deixe de lado as preocupações e a ansiedade da mente; caso contrário, não será capaz de ouvir a promessa de Deus para a sua vida. Você deve cuidar daquele a quem serve. Não é suficiente trabalhar o dia todo para o Senhor. Você também deve gastar tempo com aquele que o criou, que concedeu vida a você e que o ama de paixão.

Necessitamos servir o Senhor, mas também precisamos de tempo para ouvir sua voz. Isso evitará que o nosso coração se encha de preocupações a ponto de reclamar com Jesus, como fez Marta. Não podemos permitir que as nossas atividades para Jesus sejam um substituto para o nosso relacionamento com ele.

EM QUIETUDE E DESCANSO

A Bíblia nos ensina em Marcos 6.31 que o Senhor Jesus levou os discípulos ao deserto porque havia tanta gente recebendo ministração que já não tinham tempo para comer. Por que ele os levou a um lugar solitário? Porque desejava que os discípulos descansassem. Da mesma forma, devemos descansar todos os dias. Quando fazemos pequenas pausas, diminuímos nosso nível de estresse e não precisamos tanto de longas e caras férias para compensar. A vontade de Deus é que trabalhemos e também que descansemos, a fim de que encontremos nosso lugar secreto para meditar em Deus. Você não deve ter medo da solitude, porque pode ser de fato muito produtiva.

Quando o Senhor queria libertar seu povo da escravidão do Egito, ele deu instruções específicas a Moisés, que devia transmiti-las aos hebreus. No entanto, lemos em Êxodo 6.9: "Moisés declarou isso aos israelitas, mas eles não lhe deram ouvidos, por causa da angústia e da cruel escravidão que sofriam". Quando o povo estava bastante desencorajado por causa do serviço escravo, parou de ouvir as grandes promessas que Deus tinha para ele. A mesma coisa acontece conosco quando estamos correndo de um lado para o outro, porque Deus é o Deus do descanso e da meditação.

Quanto tempo faz que você teve contato com a natureza? Da casa para o trabalho, do trabalho para casa, da casa para a TV, da TV para a internet, da internet para o celular. Os erros que cometo em geral se devem à falta de paciência provocada por uma ansiedade descontrolada. Devemos tomar cuidado com as orações impacientes! Devemos deixar de lado todas as coisas que provocam estresse e tensão para que possamos conhecer Deus. Quando nossa cabeça está cheia de preocupações da vida, acabamos não conseguindo escutar Deus, porque nossa mente está perturbada. Libere a mente para poder focar toda a atenção nas promessas de Deus.

Não podemos de fato conhecer Deus no meio do tumulto que nos rodeia nos tempos modernos. Ele pode se manifestar em público, mas também gosta de se tornar conhecido face a face, em solitude. "Parem de lutar! Saibam que eu sou Deus!", diz Salmos 46.10. A expressão "parar de lutar" significa relaxar. Trata-se de um conselho precioso que nos ajudará a melhorar nossa intimidade com Deus.

ORAÇÃO EFICAZ

Aprender a orar de modo eficaz é um processo. O processo de orar é exclusivo de cada pessoa, assim como um pai que educa seus filhos. Deus é nosso Pai e deseja nos ensinar os fundamentos de um bom relacionamento com ele. Não devemos criar uma doutrina

EM HONRA AO ESPÍRITO SANTO

a respeito da forma de orar que cada pessoa usa para se aproximar do Senhor na intimidade. A oração é tão pessoal que só nos resta contar nossa experiência. Cada um sabe quando e como é mais conveniente buscar intimidade com o Senhor.

Se você está aprendendo a orar, é bom estabelecer uma programação que possa ser seguida a fim de criar o hábito e moldar uma disciplina na sua vida — algo que você não tinha antes de se converter ao Senhor. Digo isso porque eu era muito disciplinado comigo mesmo em orar das 6 às 8 da manhã. Durante esse tempo, eu percebia que na segunda hora de oração eu repetia muito do que já havia orado na primeira hora. Portanto, reduzi o tempo, pois entendi que a quantidade não determina a qualidade da oração. Foi necessário que eu passasse pelo estágio da maturidade, porque todo o tempo investido em oração me ajudou a edificar a fé. Nós pensamos que precisamos repetir e repetir as coisas, não porque pensamos que Deus não nos ouve, mas porque, ao fazer isso, estamos edificando a nossa própria fé. Jesus disse que não devemos orar com vãs repetições, mas nem todas as repetições são vãs. Por exemplo, a prática e a repetição nos ajudam a alcançar a perfeição e a confiança na escrita caligráfica. Uma vez que aprendamos a escrever, já não fazem falta exercícios constantes de boa letra, porque teremos desenvolvido uma caligrafia.

Depois de anos sendo disciplinado e responsável no meu tempo de oração, chegou a hora de Deus me ensinar a confiar mais nele. Quando começamos as cruzadas de cura Noites de Glória, o meu horário de oração mudou e abandonei a disciplina de orar às 6 da manhã. Como a maioria das reuniões terminava depois da meia-noite, era muito difícil levantar cedo no dia seguinte para orar. Então, enfrentei um grande conflito interno. Fiz todo o possível para manter essa programação, e foi cada vez mais difícil. Cheguei, inclusive, a repreender Satanás porque pensei que ele estivesse interferindo. Mas a unção não diminuiu; pelo contrário, as manifestações de Deus na minha vida eram cada vez mais evidentes. Eu me senti inseguro em ministrar sem orar como antes, mas ainda assim havia mais milagres e ouvíamos mais testemunhos. Foi quando Deus me disse que estava lidando com a minha fé. Ele desejava que eu tivesse confiança e certeza de que o que estava fazendo era o necessário. Aparentemente, eu estava confiando mais na quantidade de oração do que na minha comunicação contínua com ele durante o dia.

Em certa ocasião, meus filhos pequenos me pediram para brincar com eles justamente quando estava me preparando para orar. Eu não podia deixar de atendê-los, mas também não queria negar o Senhor e precisava de tempo a sós com ele. Nesse momento, ouvi-o dizer: "Você acha que vou deixar de o ungir por brincar com os seus filhos e cumprir a sua responsabilidade como pai?". Então, decidi permanecer com eles e pulei e brinquei, embora por dentro continuasse preocupado. Naquela noite, senti uma grande paz quando estava prestes a ministrar. De repente, vi que, enquanto eu caminhava em direção à plataforma, as pessoas começavam a cair,

EM HONRA AO ESPÍRITO SANTO

tocadas pelo Espírito Santo. Alguém pode dizer: "Esse homem deve ter orado muito", quando na verdade eu tinha acabado de pular com meus filhos na cama. A única coisa que eu podia fazer era confiar na voz de Deus, que me dizia: "Eu estarei lá. Eu sou aquele que faz a obra".

O Senhor me ensinou a confiar nele, mas não a ponto de eu ser irresponsável com o meu tempo de oração. O que importa é entender que há coisas que se aprendem orando e outras que se aprendem simplesmente confiando nele. Ambas são importantes.

O relato sobre Moisés tentando orar diante do mar Vermelho resume a minha vida. Deus lhe disse: "Agora não é momento de orar; simplesmente estenda o seu cajado". Isso significa que o momento não era de orar, mas de agir. Pessoalmente, é muito difícil entender que há momentos quando não devemos orar, porque o Senhor está pronto para fazer sua obra. Foi duro aplicar essa verdade na minha vida, porque tudo o que eu havia alcançado até aquele momento era fruto de onze anos de intensa oração. Era complicado entender que eu tinha passado para outro nível. Cheguei a me sentir culpado e condenei a mim mesmo por não orar tanto como antes. Enfrentei um problema de consciência até que aprendi a confiar sem perder o zelo pelo tempo de oração.

Agora estou convencido de que Deus não me deixará se eu não tiver o meu tempo de oração como planejei. Mesmo assim, é importante lembrar que a segurança não é justificativa para a negligência. Continue a orar, para que ao pensar que está muito autoconfiante não seja como o campeão que subestima o adversário e é derrotado.

A qualidade da oração é reconhecida pelos resultados que produz. Um homem que se comunica com Deus é identificado pelo ambiente de bem-estar que o circunda. Há os que fazem da oração um fim em si mesma em vez de um meio para alcançar um objetivo. Pensam que a dedicação à oração os tornará santos independentemente do que oram. Lembremo-nos de que na Bíblia a oração sempre serviu para acompanhar algo. Elias orou para que não chovesse por três anos e meio. No início da sua vida de oração, talvez você peça 20 vezes por algo pequeno. Mas, ao crescer na fé, você orará apenas uma vez por algo 20 vezes maior.

Aprendemos a orar orando. Nada sobre oração pode ser ensinado a alguém que não ora. Aprenda a trabalhar com você mesmo, gaste tempo com o Senhor, contemplando-o, não apenas fazendo-lhe pedidos. Ao buscá-lo e conhecê-lo em profundidade, as suas orações se tornarão mais eficazes. É muito parecido com quando os nossos filhos ganharam espaço para nos pedirem algo porque nos conhecem e sabem a hora certa de pedir. A chave é encontrar o tempo adequado. Ao pedir algo na hora certa, você o obterá mais facilmente. A comunicação com Deus é um círculo virtuoso: "Quanto mais tempo você dedica à oração, mais o conhece; quanto mais o conhece, melhor a sua oração".

> Aprenda a trabalhar com você mesmo, gaste tempo com o Senhor, contemplando-o, não apenas fazendo-lhe pedidos.

9

O natural e o espiritual

O Espírito Santo é um mestre por excelência. Ele tem um método único de ensinar cada aluno, como se estivesse dando aulas particulares e personalizadas. Dá aulas conforme as necessidades de cada pessoa, de acordo com as características de cada um. Por esse motivo, creio que ele me ensinou uma forma única que talvez não use com outras pessoas.

Uma de suas lições rompeu uma das maiores barreiras na minha caminhada cristã. Isso aconteceu quando ele me ensinou na passagem de 1Coríntios 2.9-12 que o Espírito Santo é quem nos revela não apenas as coisas de Deus e as profundidades de seu coração, mas também as coisas que o Pai gratuitamente nos deu. Ele sabe o que Deus deseja nos dar e nos sussurra ao ouvido para que o peçamos em oração, sabendo que, quando assim o fazemos, sua resposta será "sim". É como uma criança que, ao ouvir que os pais darão uma bicicleta ao irmão, corre e diz a este para que a peça.

Com esse ensino, decidi voltar-me ao Espírito Santo em oração e pedir a ele que me mostrasse o que eu deveria pedir, crendo que ele me revelaria o que o Pai desejava. Sua resposta me deixaria completamente surpreso. Até aquele dia eu tinha tido muita dificuldade em pedir-lhe bens materiais e acreditar que o Senhor desejava me dar coisas assim. Mas ele mudou a minha perspectiva em três noites. Na primeira noite, quando sua presença encheu o meu quarto e lhe pedi o que desejava, ouvi sua doce voz dizer: "Peça uma casa. Ele quer dar uma a você".

Não é necessário dizer que foi um desafio para mim pedir uma casa, mas obedeci. No início, fiquei surpreso de que o Espírito me influenciasse a pedir uma casa, porque se tratava de algo material que talvez não fosse tão importante a ponto de gastar tempo com isso em oração. Mas o Espírito Santo insistiu e me disse que o Pai já a havia concedido a mim; tudo o que eu tinha de fazer era pedir. Assim que orei pelo assunto, todo o meu corpo foi cheio da presença do Senhor. Senti como se o meu corpo estivesse crescendo em volume em razão do forte poder do Senhor sobre mim. De fato, anos depois, a minha esposa e eu pudemos comprar uma casa, exatamente como queríamos, sem dívidas e em paz.

Motivado, voltei no dia seguinte ao meu quarto de oração, e o Espírito falou comigo novamente. Nesse momento, ele me levou a outro nível. Ele me falou que pedisse um auditório cheio de jovens, porque Deus desejava nos dar um. Na época, eu era um pastor jovem no primeiro pastorado. Levantei as mãos e, enquanto pedia, tinha a visão de um auditório repleto de gente.

O natural e o espiritual

A mesma presença que veio sobre mim naquela primeira noite estava no meu quarto. Esse grupo de jovens que pastoreei tornou-se o maior do meu país.

Na terceira noite, voltei sabendo que ele me levaria a um nível superior. Nessa ocasião, o Espírito me disse: "Agora peça mais de mim, porque o Pai quer ungir você". Pude sentir a glória de Deus enchendo todo o quarto e sua presença poderosa repousando sobre mim. Sua unção veio sobre a minha vida.

De muitas maneiras, pedir algo a Deus é semelhante a comprar algo *on-line*. Você pede hoje, paga no momento da compra, aquilo se torna uma propriedade sua, mas leva algum tempo até que o distribuidor o envie. Peça a Deus hoje. Acredite que ele garante conceder o que você pediu e tenha fé de que ele finalmente o trará.

Assim é como Deus me levou a pedir do material para o espiritual. Mas, mesmo enquanto aprendia essa lição, eu ainda era inconsciente de todos os planos que Deus tinha reservado na minha vida e no meu ministério.

> Peça a Deus hoje. Acredite que ele garante conceder o que você pediu e tenha fé de que ele finalmente o trará.

Anos mais tarde, depois de passar pelo processo de ver esses três pedidos respondidos, entendi que o Senhor é tão completo que provê tudo o que é necessário para abençoar as pessoas. As Noites de Glória são um exemplo claro de como esses três aspectos trabalham juntos. O Espírito Santo, em sua misericórdia, me deu o belo dom da cura, por isso podemos ver doentes

EM HONRA AO ESPÍRITO SANTO

sendo curados. Ele me deu o dom da fé para crer que as pessoas virão e que ele dará os recursos necessários para cobrir todas as despesas envolvidas para abençoá-las. Você poderia imaginar que alguém tivesse todos os recursos materiais e ainda assim não ter o dom do Espírito Santo que as abençoasse? Ou então que fosse possível ter o dom do Senhor para ministrar cura às pessoas e ainda assim não ter os recursos necessários para ir até onde elas se encontram? É por isso que se faz necessário crer que Deus nos dará todas as coisas.

Quando o Espírito Santo me motivou a pedir coisas materiais, ministeriais e espirituais, ele sabia que o resultado final seriam as instruções que estava me dando. O Senhor não nos usará sem antes nos treinar; e não fará isso se não estivermos abertos a romper o nosso *status quo* por sua Palavra e seu ensino.

Agora tenho a fé para edificar uma igreja maior, algo que vi há mais de vinte anos. Também tenho a determinação de vê-la dominada pela unção de Deus, que abençoará todos os que entrarem. Devemos ter uma fé holística e equilibrada para cumprir esses alvos porque a fé parcial não é suficiente para que alcancemos o objetivo mais amplo.

Se você crê que a unção está sobre você, então deve compreender que isso quer dizer abençoar outros. Quanto mais pessoas você quiser abençoar, mais recursos precisará ter. Portanto, deve ter fé tanto para coisas materiais quanto para as espirituais. Deus é especialista em ambas.

O natural e o espiritual

UM DESAFIO DE FÉ

Na nossa vida material e espiritual devemos sempre acreditar e buscar o melhor. Sempre aprendi que fé para obter o material complementa a fé no espiritual. Tudo o que você vê agora no nosso ministério, da igreja crescente às Noites de Glória, tem sido um resultado direto por crer nele.

Não há nada de errado em ter fé para prosperar. Isso significa crer que Deus o fará prosperar em tudo no que dedicar o seu tempo e esforço. Não se esqueça de que uma das promessas que Deus fez a Josué foi que, se fosse diligente e corajoso, prosperaria em tudo que se propusesse. Desse modo, sempre que embarco em um novo empreendimento, creio que Deus o fará prosperar. Outro exemplo disso foi José, filho de Jacó. Até mesmo o faraó entendeu que Deus estava com ele, e tudo o que fez prosperou.

Crer em Deus em relação à prosperidade é como ir à academia da fé e exercitar os músculos da confiança. Ele concederá a vitória a você no dia da verdadeira batalha. É por isso que há situações que desafiam a nossa fé todos os dias, porque o Senhor deseja que continue se exercitando e vencendo a batalha. Assim como um avião voa por causa da conhecida força de sustentação, a fé se mantém viva pelos desafios que em geral surgem na nossa vida. Você não será capaz de voar sem uma suspensão ou força de sustentação, nem será capaz de viver se não tiver travado a batalha da fé.

Não podemos falar em vencer se não corrermos o risco de perder. Não podemos falar de vencer nada, a menos que decidamos enfrentar as adversidades. Embora alguns queiram crer que a fé não deve ser usada para trazer prosperidade, eu continuarei a fazer isso. Enfrentarei dia a dia os desafios que Deus puser no meu caminho, acreditando que ele me dará todas as coisas em Cristo. Assim como acredito que ele pode me usar para curar milhares de pessoas, também preciso crer que terei os recursos necessários para alcançar cada vez mais pessoas.

ELE NÃO POUPOU SEU PRÓPRIO FILHO

Em Romanos 8.32, Paulo faz a seguinte pergunta: "Aquele que não poupou seu próprio Filho, mas o entregou por todos nós, como não nos dará com ele, e de graça, todas as coisas?". Se Deus já nos deu seu Filho, certamente ele nos dará tudo o de que precisarmos ou solicitarmos.

Permita-me repetir a pergunta que fez Paulo: se o Pai já deu a você seu Filho amado, e o deu a ponto de levá-lo a uma morte humilhante na cruz do Calvário, você não acredita que ele deseja dar a você todos os bens materiais de que também precisa? Você acredita que as coisas materiais que solicita são mais importantes ou custosas para o Pai do que seu próprio Filho? Se ele já deu a você a vida de Cristo que é muito mais valiosa, não negará o que é material a você. Ao receber Jesus no seu coração, você também deve crer que receberá as bênçãos que acompanham a salvação nele.

Se você fosse me dar o seu filho voluntariamente, e um pouco depois eu pedisse que me desse comida para

O natural e o espiritual

sustentá-lo, o que você faria? Você não daria isso a mim se já me tivesse confiado seu filho? Que pai daria seu filho para ser ferido e crucificado e logo depois recusasse dar a você qualquer coisa?

O Senhor deseja que você exercite a sua fé cada dia e creia que tudo de que precisa e deseja será dado a você. Se você não crer em Deus para receber coisas materiais, quem você pensa que fará isso? O Deus que nos deu seu precioso Filho também deseja nos dar qualquer outra coisa.

Cristo foi oferecido por sua causa. Quando você tem um problema financeiro, pode dizer ao Senhor: "Eu dormirei em paz, porque se tu já me deste teu Filho, não sentirei falta de nada". Sempre que precisar de algo, volte-se para a cruz e diga a Deus: "Se o Senhor foi tão longe a ponto de me dar o teu Filho, então sei que me dará tudo de que eu preciso, Pai!". Deposite a sua fé em Cristo, que morreu na cruz, e você obterá tudo o que o Pai conquistou na cruz.

> O Senhor deseja que você exercite a sua fé cada dia e creia que tudo de que precisa e deseja será dado a você.

Se Deus pôs no seu coração Jesus, cujo valor é inestimável, ele também dará a você tudo que pode ser estimado. Somente Jesus foi exaltado ao mais alto lugar. Se o Pai nos deu aquele que é a excelência do Universo, não nos dará também todas as outras coisas?

Quando a Bíblia declara que Deus não negou seu próprio Filho e que não nos negará nada, nesse contexto as Escrituras referem-se às coisas de que precisamos para tornar conhecidas no mundo as boas-novas de que Deus deu seu Filho para a nossa salvação. Portanto, todos que desejamos levar a mensagem do Senhor Jesus ao mundo inteiro também devemos crer que ele nos dará todo o necessário para alcançar esse objetivo.

Esse ensino sobre prosperidade é mais espiritual do que muitos de nós creem, e só o aceita quem é maduro na fé. Se o Senhor deu a você um corpo, por que não daria os meios de sustentá-lo e vesti-lo? O corpo que ele nos deu é muito mais valioso que qualquer outra vestimenta que podemos usar. Pense sobre isto: Quanto vale a pele que cobre o nosso corpo ou quanto vale um dos nossos órgãos? Se você tivesse que pagar para restaurar qualquer parte do seu corpo, isso custaria uma fortuna. O valor é inestimável! Se ele já deu a você a pele, não dará também a roupa com que vesti-la? Se ele já deu o que é mais valioso, seria ilógico pensar que ele não dará o que você precisa para cuidar de você mesmo. Sim, Deus deseja fazer você prosperar.

PEÇA E ELE DARÁ

Se o Senhor nos ensinou a pedir a ele, então por que há pessoas que dizem que é errado pedir? Ele veio para nos ensinar a verdade que nos liberta, e um de seus ensinos foi sobre pedir. Pedir livremente é a atitude natural de um filho que confia. Eu peço a Deus com a mesma persistência que tinha quando criança sempre que pedia algo à minha mãe. Eu faria o que fosse necessário para fazê-la me dar o que lhe pedia! Eu me lançava nos braços dela quando estava dormindo ou abria suas pálpebras. Em seguida, deixava o

O natural e o espiritual

meu rosto o mais perto do dela e dizia: "Mãe, a minha bicicleta! Quando vamos comprar a minha bicicleta?".

Você acredita que Deus não goste que seus filhos lhe peçam coisas? Como pai, eu fico feliz quando os meus filhos me pedem algo, porque isso significa que confiam em mim. Seria terrível para eles pedir a outros, não a seu pai. Quando os meus filhos chegavam com coisas que não lhes pertencia, eu sempre dizia: "Devolva isso imediatamente; é para isso que você tem seu pai aqui". Deus também não gosta que você confie em outra pessoa para ir bem. Então, por que você não quer pedir a Deus tudo o de que precisa para viver? E como pode pedir que a unção gloriosa de Deus esteja com você se nem sequer é capaz de pedir a ele coisas comuns da vida diária? Jesus nos ensinou a pedir porque ele sabe que o Pai deseja nos abençoar.

Peça com confiança. Jesus ensinou que, se pedirmos, nos será dado; se buscarmos, encontraremos; e, se batermos, a porta se abrirá. Veja o que diz o evangelho de Lucas:

> "Qual pai, do meio de vocês, se o filho pedir um peixe, em lugar disso lhe dará uma cobra? Ou, se pedir um ovo, lhe dará um escorpião? Se vocês, apesar de serem maus, sabem dar boas coisas aos seus filhos, quanto mais o Pai que está nos céus *dará o Espírito Santo a quem o pedir!*" (Lucas 11.11-13).

Há três coisas que podemos aprender com essa passagem. A primeira é que o Senhor deseja dar a você o Espírito Santo. Se nós, seres humanos, sendo maus, não recebemos pedras nem serpentes, como podemos pensar que Deus não nos dará seu Espírito quando o pedirmos? Se você pedir a Deus sua presença ou a plenitude do Espírito Santo, ele o dará a você. Se lhe pedir unção, ele ungirá você. Peça-o. Não espere mais, mas ore, crendo. Peça a ele para derramar de seu Espírito em abundância, e ele assim fará!

A segunda lição é que ele o motiva a ser um pai que dá boas coisas à sua família. Esse é o motivo pelo qual a plenitude do Espírito Santo não é para a avareza ou para a ganância, mas para aqueles que sabem como dar. Há muitos homens que desejam ser servos de Deus ungidos e ainda não sabem como dar um abraço ou um beijo na esposa, muito menos um presente de aniversário. Quem anda de mãos dadas com o Espírito Santo sabe como imitar o Pai de forma positiva. Por que Deus não daria o Espírito Santo se ele visse que você dá o melhor para a sua mulher e seus filhos? O Senhor deseja encher com sua glória divina os pais que desejam levantar a própria família.

Querido pai, o Senhor deseja que você seja um dos que peçam coisas boas para sua casa. Não se esqueça de que, ao mesmo tempo que você é um pai responsável que provê às necessidades da casa, também é filho; e, como tal, Deus espera que você vá até ele para pedir o que precisar.

A terceira e última coisa é que a Palavra compara a plenitude do Espírito à nossa comida diária. Ela nos fala

O natural e o espiritual

em uma dieta balanceada composta de peixe, ovos e pão. Essa comparação não é por acaso. Quando perguntei a Deus sobre isso, ele me mostrou seu desejo de nos fazer entender que o Espírito é mais indispensável do que a comida. Se na média comemos três refeições por dia, deveríamos buscar sua presença com a mesma frequência. O que o Senhor está dizendo é que precisamos tanto de comida como do Espírito Santo e que devemos buscá-lo com a mesma energia com que trabalhamos para ganhar o sustento diário.

> Não se esqueça de que, ao mesmo tempo que você é um pai responsável que provê às necessidades da casa, também é filho; e, como tal, Deus espera que você vá até ele para pedir o que precisar.

Há pessoas que creem que o Espírito Santo não faz parte da vida diária. Quando você volta para casa depois de trabalhar e pergunta o que há para jantar, em geral a esposa, ou a pessoa que fez o jantar, não diz que não tem nada porque você já comeu algo no dia anterior. Com respeito ao Espírito Santo, há aqueles que dizem: "Eu fiquei cheio do Espírito Santo em um retiro ou congresso". Todos os dias escolhemos o que vamos comer, mas, quanto ao Espírito Santo, nós o relegamos a determinadas ocasiões sem perceber que precisamos beber dele todo o tempo.

Assim como não podemos viver sem comer, não deveríamos viver sem o Espírito Santo. O corpo se torna fraco sem comida e o espírito morre de inanição sem sua presença. Deus nos deu vida para que pudéssemos viver abundantemente, sendo cheios de seu Espírito. Sempre que você for à igreja, deve dizer: "Hoje eu quero ser cheio, Senhor".

O ESPÍRITO SANTO E AS BOAS COISAS

Leiamos no evangelho de Mateus agora a mesma passagem de Lucas sobre pedir. Observe que o Espírito Santo inspirou uma palavra diferente no final desta passagem: "Se vocês, apesar de serem maus, sabem dar boas coisas aos seus filhos, quanto mais o Pai de vocês, que está nos céus, *dará coisas boas aos que lhe pedirem!*" (7.11).

Lemos em Lucas que o Pai quer dar o Espírito Santo àqueles que lhe pedirem, mas agora vemos que Mateus diz que Deus quer nos dar *coisas boas*. Ao inspirar as Escrituras, o Senhor faz questão de dizer em Mateus e em Lucas que o Pai é capaz de nos dar o Espírito Santo tanto quanto as boas coisas se lhe pedirmos. É muito importante para ele que seus filhos creiam que podem pedir a Deus sua presença e plenitude, assim como podem pedir-lhe coisas boas. Ambas vêm do Pai celestial.

A expressão "coisas boas" no grego significa "algo bom, benéfico, útil, saudável e agradável". Também quer dizer "agradável, que produz alegria, excelente, distinguível, honrável e de boa qualidade". Isso significa dizer que o Senhor dá coisas que sejam úteis e agradáveis. Por isso, ele diz que não nos dará um escorpião ou uma pedra. Deus nos dá algo para o nosso bem-estar, mas isso não necessariamente significa que ele concederá algo para prazeres pecaminosos. Por exemplo, você não pode pedir internet para ver pornografia. Você nunca dá a seus filhos algo que lhes causará danos. O Pai não apenas provê, como também educa. Há filhos que não se

O natural e o espiritual

comportam bem e ainda assim querem tudo. Da mesma forma, há pessoas que se comportam mal e querem coisas boas. Isso é impossível.

Para receber coisas boas, é preciso ter fé. Eu devo crer para ter o Espírito e tudo o de que necessito. Não posso dizer que tenho fé para que o Espírito Santo me unja e, em seguida, não pedir pelas coisas que necessito para viver, tais como comida, casa e condições para pagar as contas. Você precisa de fé para pedir que a glória de Deus esteja com você, da mesma maneira que precisa de fé para pedir por sustento diário. A fé para ver milagres é a mesma fé que usamos para pagar as cruzadas de cura, o transporte de equipamento, o sistema de som e as luzes. Deus está interessado em questões espirituais tanto quanto nas nossas necessidades materiais. Nós precisamos de fé para receber ambas. Aprenda a pedir e a receber tudo o que ele tem para nos dar.

> Você precisa de fé para pedir que a glória de Deus esteja com você, da mesma maneira que precisa de fé para pedir por sustento diário.

10

Seu lugar de habitação

Certa noite, enquanto orava no meu quarto, preparando-me para uma cruzada de cura, o Senhor me deu uma palavra. Ele me disse que as pessoas viriam às Noites de Glória buscando milagres e que ele os daria, mas que, no dia seguinte, seus maus hábitos as deixariam doentes novamente. Esse foi o dia em que Deus abriu completamente meu entendimento para que eu não esperasse cura divina sem me preocupar com a saúde do meu corpo como um todo. Não posso crer em milagres sobrenaturais sem ter responsabilidade com o meu próprio físico.

Nessa noite, o Senhor me fez uma promessa. Ele me disse que aumentaria a unção sobre as pessoas que respeitassem seu próprio corpo e que lhe dessem a importância que merece. É como ter a sua própria casa, mas pagar para outra pessoa cuidar dela. Ninguém gosta de viver num lugar sujo e desorganizado, cheio de teias de aranhas, mofo e umidade. É por isso que devemos cuidar do corpo, para poder oferecer ao Espírito um lugar para habitar que seja digno de sua presença. Quando cuidamos do nosso corpo, estamos dizendo que valorizamos o Espírito e que conscientemente estamos nos preparando para sua renovação.

O Senhor me revelou que ele unge corpos, não espíritos. Ele unge mente, não alma. Quando Jesus disse: "O Espírito do Senhor está sobre mim", o Espírito era como um óleo sobre a pessoa. A unção perpassa o corpo, da cabeça aos pés, e é ministrada pela imposição de mãos. A Bíblia fala a esse respeito: "É como óleo precioso derramado sobre a cabeça, que desce pela barba, a barba de Arão, até a gola das suas vestes" (Salmos 133.2).

Há quem acredite que o corpo é algo material, passageiro, de pouca importância no mundo espiritual, mas, se isso fosse verdade, por que então haverá um novo corpo na ressurreição? Porque vamos precisar de um na eternidade!

Algumas pessoas desprezam o corpo que Deus lhes deu e creem que tomar conta dele é só vaidade. Pensam que não tem nada a ver com santidade ou com Deus e que devemos apenas nos preocupar em guardar a mente e o espírito. Mas isso é um erro. Caso contrário, por que o apóstolo diz: "Que o próprio Deus da paz os santifique inteiramente. Que todo o espírito, a alma e o corpo de vocês sejam preservados irrepreensíveis na vinda de nosso Senhor Jesus Cristo" (1Tessalonicenses 5.23)?

O seu corpo é o lugar onde habita o Espírito Santo. A Bíblia diz que você não deve manchar o templo de Deus. Esse templo é o seu corpo. Em 1Coríntios 3.16,17,

Seu lugar de habitação

lemos uma advertência de que todo aquele que destrói o corpo será destruído por Deus. Trata-se de uma advertência muito séria que devemos considerar a fim de nos proteger, pois Deus habita o corpo de seus filhos.

SACRIFÍCIO SANTO E VIVO

Todos nós sabemos que, enquanto estava neste mundo, Jesus tinha um corpo. Foi por isso que nasceu de uma virgem e cresceu como filho. Perdemos de vista a tamanha importância do corpo para o cumprimento dos propósitos de Deus. Em 1Pedro 2.24, lemos: "Ele mesmo levou em seu corpo os nossos pecados sobre o madeiro, a fim de que morrêssemos para os pecados e vivêssemos para a justiça; por suas feridas vocês foram curados".

Jesus levou nossos pecados em seu corpo e por suas feridas fomos curados. Ele nos reconciliou com Deus em seu corpo, através da morte, a fim de nos tornar um povo santo. Deus considera o corpo tão valioso que nossa redenção se tornou uma realidade mediante o sacrifício da carne e do sangue de Cristo, não por meio de seu espírito ou presença.

Imagine por um momento Jesus com sua fisionomia desfigurada, uma coroa de espinhos na cabeça, suas costas dilaceradas por um chicote e o lado traspassado por uma espada. Essas feridas foram onde ele levou nossas enfermidades e por elas é que

> Deus considera o corpo tão valioso que nossa redenção se tornou uma realidade mediante o sacrifício da carne e do sangue de Cristo, não por meio de seu espírito ou presença.

fomos curados do câncer, da artrite, da enxaqueca, do diabetes e de qualquer outra enfermidade humana. Imagine todas as enfermidades deixando o corpo dos homens e pesando sobre o corpo de Cristo na cruz do Calvário. Antes disso, o corpo de Cristo era saudável e íntegro. Para nos abençoar fisicamente, ele submeteu seu corpo como uma maldição.

Como cordeiro destinado ao sacrifício, Jesus tinha de apresentar seu corpo de modo perfeito. Em Hebreus 10.10, lemos claramente: "Pelo cumprimento dessa vontade fomos santificados, por meio do sacrifício do corpo de Jesus Cristo, oferecido uma vez por todas".

A oferta de Jesus foi seu corpo, preparado por Deus para ser sacrificado na cruz. Ele tinha de cuidar dele porque deveria ser apresentado sem nenhuma imperfeição, totalmente saudável e inteiro a fim de levar toda a miséria da condição humana. Da mesma maneira que ele deveria estar livre de pecado para poder levar nossos pecados, ele também tinha de estar livre de enfermidades para poder suportar nossas doenças. Você consegue imaginar o sangue que Jesus derramou na cruz com problemas de colesterol ou triglicérides?

O corpo era muito importante para o Senhor Jesus. Nossa salvação dependia dele. Ele cuidou de sua própria saúde, porque sabia que em seu corpo apresentaria um sacrifício que agradaria ao Pai. O véu do tabernáculo representava sua carne e, assim, tivemos acesso a ele

Seu lugar de habitação

quando o véu se rasgou. Hoje podemos entrar no Lugar Santíssimo por meio de Jesus Cristo.

O apóstolo Paulo também nos diz que devemos nos preocupar com o nosso corpo a fim de nos apresentarmos como sacrifício vivo a Deus:

> Portanto, irmãos, rogo pelas misericórdias de Deus que se ofereçam em sacrifício vivo, santo e agradável a Deus; este é o culto racional de vocês. Não se amoldem ao padrão deste mundo, mas transformem-se pela renovação da sua mente, para que sejam capazes de experimentar e comprovar a boa, agradável e perfeita vontade de Deus (Romanos 12.1,2).

Quando você vai a Deus, está apresentando o seu corpo. Nós o adoramos em espírito e em verdade, mas fazemos isso levantando as mãos a ele, cantando e dançando diante dele. Por essa razão, quando você ora, pense: Será que o Senhor aceitará a forma com que eu trato meu corpo? Estou pecando ao apresentar um corpo indigno diante dele?

Se não vemos Deus trabalhando na nossa vida, é porque certamente deve haver algo que estamos deixando de lado. Se você deseja mais unção, deve ter mais respeito por seu corpo, porque o poder de Deus se move nele e por meio dele. Quanto mais se santificar, melhor será a oferta que apresentará a Deus. A sua mente será transformada. Quem aprende como apresentar seu corpo diante do Senhor experimentará a renovação da mente e viverá feliz na boa e perfeita vontade do Senhor.

AME-O COM TODAS AS SUAS FORÇAS

A Bíblia nos ensina que o primeiro mandamento é: "Ame o SENHOR, o seu Deus, de todo o seu coração, de toda a sua alma e de todas as suas forças" (Deuteronômio 6.5). Quando Deus fala de força, ele está se referindo à força física. Essa é outra razão por que devemos cuidar muito bem de nosso corpo, alimentando-o e nutrindo-o corretamente. Devemos amar a Deus com nosso coração e alma, mas também devemos amá-lo com a força física. Por isso, devemos fazer todo o possível para sermos saudáveis.

> Se você deseja mais unção, deve ter mais respeito por seu corpo, porque o poder de Deus se move nele e por meio dele.

O corpo é do Senhor, e a Bíblia ensina que tudo o que fizermos deve ser motivado por desejo profundo de agradar a ele. Deus é equilibrado e não é afeito a extremos. Ele não o chama para ser descuidado, tampouco o chama para adorar o seu corpo. Cuidado do corpo não é o mesmo que viver para ele. Filipenses 3.17-19 diz:

> Irmãos, sigam unidos o meu exemplo e observem os que vivem de acordo com o padrão que apresentamos a vocês. Pois, como já disse repetidas vezes, e agora repito com lágrimas, há muitos que vivem como inimigos da cruz de Cristo. O destino deles é a perdição, o seu deus é o estômago, e eles têm orgulho do que é vergonhoso; só pensam nas coisas terrenas.

Há duas formas de tornar o corpo um falso deus. A primeira delas é viver para ele, com um único objetivo

Seu lugar de habitação

de se parecer belo diante dos outros, mas não de apresentá-lo ao Senhor. A outra é negligenciá-lo, tornando-se vítima da glutonaria e dos desejos carnais. Como você pode ver, cuidar de nosso corpo não tem nada a ver com ser gordo ou magro, mas com respeitá-lo como templo do Espírito Santo.

Pense um minuto e reflita como você trata seu corpo. Mude seus hábitos se você é uma pessoa que se preocupa em demasia e usa o corpo em excessos. Deixe os vícios para trás, bem como as comidas que causam malefícios à sua saúde. Você deve escolher cuidadosamente o que come. Deus deu a você a responsabilidade de ser sabiamente seletivo. Ele deu um apetite e um estômago para digerir comida, mas isso não significa que deve comer mais do que é necessário. Exercite o autocontrole, faça exercícios e procure permanecer saudável. Determine-se a usar seu corpo para glorificar a Deus acima de qualquer coisa.

CUIDE DO CORPO E SIRVA A DEUS

Há muitos anos, antes de termos inaugurado o segundo edifício da igreja, alugávamos um galpão para as nossas reuniões. Chegamos ao ponto de ter seis cultos por domingo. Eu pregava em todos eles. No fim do dia, eu estava simplesmente exausto. Era comum que eu tivesse febre e tremor. Meu espírito queria pregar mais, mas meu corpo não aguentava. Foi aí que entendi que a fadiga é um inimigo da unção. Quando minhas forças se esvaem, a oração se torna mais difícil, bem como crer

EM HONRA AO ESPÍRITO SANTO

que Deus agirá. Decidi ser mais cuidadoso com o que comia e fazer mais exercício para ter mais resistência. Isso me capacitaria para ministrar a mais pessoas. Se eu não tomar conta de mim mesmo, limitarei grandemente a minha capacidade de servir a outros.

Eu quero servir a Deus muitos anos, até ser de idade avançada. Para isso, devo me manter forte e saudável, cuidando de mim enquanto sou jovem. O corpo tende a se deteriorar e gastar, de modo que, se queremos servir mais a Deus, precisamos cuidar do físico! Você somente será capaz de servir-lhe à medida que o seu corpo aguentar.

Para cuidar de meu corpo, tento descansar, comer alimentos saudáveis e fazer exercícios com regularidade. Esses são os pilares da boa saúde. Aprendi que o corpo é como uma planta que cresce melhor quando um sistema de irrigação gota a gota lhe fornece os nutrientes exatos e necessários para sua saúde e seu crescimento integral. É difícil escolher se é mais importante satisfazer nosso corpo ou nossos desejos, porque geralmente comemos o de que gostamos, não o de que precisamos para nos manter saudáveis. Essa é a razão por que, em geral, nos sentimos esgotados e acabamos ficando doentes. Sempre tento comer uma dieta balanceada. Não me privo completamente de pequenas delícias, porque tudo o que Deus nos dá é bom, desde que consumido com moderação.

Faço exercícios e bebo muita água. Faço exercícios físicos e cardiovasculares regularmente, uma vez que vivemos num mundo tão sedentário. Saímos da cama

Seu lugar de habitação

e vamos direto para a mesa do café da manhã, depois para o carro, dele para a cadeira, e assim por diante. Nossa rotina dificilmente poderia ser mais sedentária! Gastamos mais tempo sentados do que em pé, por isso nosso coração não é tão eficiente como deveria ser para bombear o sangue por todo o corpo. Obviamente precisamos fazer mudanças na nossa rotina.

Também tento dormir mais. O descanso nos permite renovar as forças e a mente para ter mais energia durante o dia e uma mente mais sensata nos momentos de decisão. Os que não descansam de forma adequada terminam exaustos e tendem a ficar mais facilmente irritados. No longo prazo, essa é uma questão séria para os que servem a Deus.

Vemos na figura da água em garrafa uma ilustração do que significa cuidar do corpo como lugar de habitação do Espírito Santo. Não podemos beber sem um copo ou taça. É por esse motivo que necessitamos estar seguros de que o copo sempre esteja à mão para ser enchido. Não podemos criar a água, mas podemos engarrafá-la. Uma vez que a água é um elemento vital, é lógico que precisamos ter uma boa garrafa para armazená-la. A analogia serve para ilustrar o cuidado que devemos dispensar ao nosso corpo. Se queremos ser plenos da presença do Espírito, devemos cuidar do recipiente que ele usa para enchê-lo. Certamente o Senhor depositará mais num recipiente que esteja bem cuidado.

O cuidado e o uso do nosso corpo estão intimamente relacionados com nossa vida espiritual. Por exemplo,

EM HONRA AO ESPÍRITO SANTO

os discípulos de Jesus, embora desejassem de todo o coração acompanhá-lo, foram incapazes de orar com ele por uma hora na noite em que foi traído e preso. Por isso, Jesus lhes disse: "Vigiem e orem para que não caiam em tentação. O espírito está pronto, mas a carne é fraca" (Mateus 26.41).

Se você realmente quer aumentar sua fé, deve orar nos melhores momentos, não quando está cansado ou esgotado. Davi disse que buscava o Senhor logo de manhã porque era o horário do dia em que estava mais alerta. Outros estão acostumados a buscar Deus à noite, uma vez que é a hora do dia em que têm mais energia. No entanto, há muitos cristãos que não oram, porque terminam o dia deixando para orar por último, quando já fizeram de tudo e não têm mais forças. A falta de força física nos impede de buscar o Senhor, mesmo quando o desejamos de todo o coração. É por isso que você deve organizar bem o tempo e as forças para buscá-lo em intimidade. O jejum é outra prática espiritual relacionada com o nosso modo de tratar o físico. Ele traz muitos benefícios, incluindo o exercício do autocontrole. Se você pode abster-se da comida a que tem direito, também estará habilitado para abster-se de outras coisas que são proibidas. O exercício do autocontrole é o que torna o jejum uma ferramenta poderosa para aumentar a sua fé.

> Você deve organizar bem o tempo e as forças para buscar o Senhor em intimidade.

Se você pensar sobre o assunto, a vida de fé é diretamente proporcional à forma de tratar o nosso corpo e é mais importante do que já pensamos ou acreditamos.

Seu lugar de habitação

PROPRIEDADE DE OUTRO

Seu corpo pertence a Deus porque você foi comprado por meio de Jesus Cristo. Portanto, é natural e lógico que Deus peça contas de como você faz uso dele. Você não tem o direito de fazer o que deseja com ele. Depois de Deus, se é casado, somente sua esposa pode estabelecer algumas exigências sobre o seu corpo e vice-versa.

Em 1Coríntios 3.16,17, somos advertidos:

> "Vocês não sabem que são santuário de Deus e que o Espírito de Deus habita em vocês? Se alguém destruir o santuário de Deus, Deus o destruirá; pois o santuário de Deus, que são vocês, é sagrado".

A palavra "sagrado" ou "santo" na Bíblia significa "separado". O seu corpo é santo porque é o templo do Espírito Santo. Ou seja, é separado em primeiro lugar para Deus e depois para o cônjuge. É por esse motivo que as Escrituras dizem:

> " 'Os alimentos foram feitos para o estômago e o estômago para os alimentos', mas Deus destruirá ambos. O corpo, porém, não é para a imoralidade, mas para o Senhor, e o Senhor para o corpo" (1Coríntios 6.13).

Pense na quantidade de coisas que estão sempre competindo por nosso corpo! Por que você acha que uma das influências mais fortes na TV é a pornografia? Porque tenta nos persuadir a usar o corpo de maneira indevida. Ao fazer isso, a Bíblia diz que o próprio Deus nos destruirá, porque está destruindo seu templo. A estratégia do inimigo é conduzir você à destruição do seu próprio corpo e forçar Deus a cumprir sua palavra, destruindo-o.

O MOTIVO DE ME CUIDAR

Tenho visto muita gente que começa a fazer dieta e exercícios nas academias antes de casar porque quer ter boa aparência para o futuro cônjuge na lua de mel. Isso é bom, mas seria muito melhor se o fizesse primeiro para o Senhor. Também é bom cuidar de você mesmo para evitar ficar doente, mas a presença de Deus e seu amor devem motivá-lo ainda mais. A lua de mel ou o risco de morte por enfermidade podem ser mais importantes do que o fato de que o seu corpo é o templo do Espírito Santo? Há muitas coisas que podem nos motivar a ter mais cuidado com o nosso corpo, mas a motivação correta é perceber que se trata do lugar de habitação do nosso Deus e Criador.

O Espírito Santo vive em nosso corpo. Ao se vestir, pergunte a ele se o que está usando lhe parece bem. Você não pode dizer que Jesus é o seu Senhor se nem mesmo permitir que ele dirija a casa dele — o seu corpo. Se verdadeiramente diz que o seu corpo pertence a Deus, então dê provas disso! Nós que somos chamados para o ministério temos a responsabilidade de cuidar de nós mesmos a fim de que prestemos contas ao Senhor e alcancemos o prêmio que ele nos deu.

Seu lugar de habitação

Algum dia, algo o motivará a cuidar de seu corpo. Pode ser o câncer, a pressão alta, a sua lua de mel, um torneio, um esporte ou o próprio Jesus. Você cuidará melhor de seu corpo se for diagnosticado com câncer? Comerá de modo mais saudável se tiver altos níveis de colesterol? Fará mais exercício para evitar infartos? Ou manterá o seu corpo em boa forma para apresentá-lo a Deus como sacrifício vivo, santo e agradável a ele?

> Você não pode dizer que Jesus é o seu Senhor se nem mesmo permitir que ele dirija a casa dele — o seu corpo.

Não se trata de um tema religioso cuidar do corpo e respeitá-lo simplesmente por ser o templo de Deus. O corpo é o recipiente que apresentamos a ele também espiritualmente como o veículo para sua unção. Ao tocar o seu corpo, você está tocando parte de Cristo. Por essa razão, podemos dizer com segurança que o modo com que você trata o seu corpo é realmente como trata Cristo.

11

Usado por ele

Certa noite, na presença do Espírito de Deus, Jesus começou a me falar sobre um elemento-chave para o crescimento contínuo no ministério. Eu meditava na cama, como faço normalmente, e ele me disse que há três áreas de resistência que precisamos aprender a administrar.

A primeira delas, disse ele, é que Satanás é nosso adversário. Ele me lembrou de que as Escrituras dizem: "Portanto, submetam-se a Deus. Resistam ao Diabo, e ele fugirá de vocês" (Tiago 4.7). Ele me mostrou como devemos aprender a resistir a seus ataques para que, ao ver que não vamos desistir, ele fuja. Esse é o tipo de resistência mais conhecido entre o povo de Deus e o mais fácil de entender e aceitar.

Em seguida, Jesus mostrou-me a segunda área de resistência e me levou ao texto de Atos 7.51: "Povo rebelde, obstinado de coração e de ouvidos! Vocês são iguais aos seus antepassados: sempre resistem ao Espírito Santo!".

EM HONRA AO ESPÍRITO SANTO

Aqui ele me ensinou que as pessoas resistem ao Espírito Santo porque seu coração é duro. Agem em oposição à obra do Senhor. Parece ser um problema geracional, uma vez que sempre houve quem se opusesse aos apóstolos e profetas de Deus que agiam com sinais e maravilhas e falavam em seu nome. Jesus me disse que eu deveria resistir ao mal, mas não ao Espírito Santo. Quando pararmos de resistir ao Espírito e à obra que ele deseja fazer em nossa vida, começaremos a andar em comunhão com ele.

A terceira área de resistência — e que, em geral, recebe menos atenção — refere-se às ofensas praticadas por outros contra nós. Compreendo como esses fatores nos interrompem em nossa caminhada para que nos tornemos homens e mulheres que Deus deseja que sejamos. Se permitirmos que a raiva, a amargura e o ressentimento nos provoquem e formem um ninho em nosso coração, isso impedirá o fluir da graça de Deus em nossa vida.

O Senhor foi claro ao me dizer: "Esta é a área de resistência na qual muitos dos meus filhos e ministros falham. Sou incapaz de levá-los a outro nível por causa disso". E acrescentou: "A esses pregadores que não sabem como lidar com ofensas, eu só falo com eles para lhes revelar a Palavra ao meu povo, mas não tenho intimidade com eles". Entendi que os maus sentimentos que guardamos contra alguém afetam diretamente nossa relação com o Espírito Santo. Isso perturba nossa comunhão com ele. Deus pode usar você, mas não terá o melhor relacionamento com ele que poderia ter.

Como Deus pode usar alguém que perdeu a comunhão com ele? Lembre-se de que Jesus disse certa vez que as pessoas iriam até ele, dizendo que em seu nome haviam expulsado demônios ou curado enfermos e que Jesus responderia: "Nunca os conheci. Afastem-se de mim". Eles foram usados para milagres, mas não fizeram sua vontade; foram ajudados, mas não aprovados. Se Deus abençoa alguém, isso não necessariamente significa que a vida da pessoa ou suas atitudes receberam a aprovação dele. Deus é como o pai que apoia sua filha no dia do casamento mesmo que ele não aprove sua decisão. Isso quer dizer que você não pode se esconder atrás do fluxo da unção, mas deve buscar a aprovação de Deus no lugar secreto. Essa é a melhor razão por que precisamos vencer essa resistência.

> Entendi que os maus sentimentos que guardamos contra alguém afetam diretamente nossa relação com o Espírito Santo.

LIVRE DE OFENSAS

Precisamos perdoar cada ofensa contra nós, intencional ou não, pois, se não perdoarmos, Deus não perdoará os nossos pecados. O dia em que escolhermos não perdoar um pecado ou uma ofensa que alguém praticar contra nós, tolheremos nosso crescimento, porque Deus deixará de responder às nossas orações.

Naquela noite transformadora, o Senhor me disse: "Há pecados que as pessoas cometem contra você dos quais eu me vingarei; no entanto, há outros que são apenas ofensas, e com esses você precisa lidar".

EM HONRA AO ESPÍRITO SANTO

Há uma diferença entre pecados e ofensas. Nem tudo que nos ofende é pecado, e devemos ter maturidade para aceitar que nem todo pecado, cometido contra nós deveria nos ofender. Muitas pessoas pecaram contra o Senhor Jesus, mas ele nunca se ofendeu ou sentiu ressentimento. Pelo contrário, ele as perdoou. Por outro lado, embora Jesus nunca tenha pecado, havia pessoas que foram ofendidas por ele. Você se lembra quando ele declarou que era o pão da vida e que quem comesse dele jamais voltaria a ter fome? Muitos se sentiram ofendidos e pararam de segui-lo.

Infelizmente, algumas pessoas não perdoaram às outras por coisas que Deus nem considera pecaminosas. Pense em quantos trabalhadores sentem ressentimentos do patrão por terem sido corrigidos por chegar tarde? Quantas crianças se sentiram ofendidas porque foram corrigidas por seus pais? Não podemos julgar algo como pecado só porque nos ofendeu ou nos deixou tristes.

Deus lidará pessoalmente com pessoas que pecaram contra nós, mas, ao mesmo tempo, ele espera que lidemos com as ofensas de que fomos alvo para que elas não impeçam a bênção que ele quer derramar sobre nós. Quando você se sentir ofendido, não se torne presa, fazendo-se de vítima. Não tente justificar a falta de perdão, mas liberte-se das ofensas e aprenda a ultrapassar cada dor que outros possam ter causado. Se você quer que o Espírito Santo o use de forma poderosa, então deve se tornar uma pessoa cujo coração, cuja mente e cuja alma sejam saudáveis e livres de toda amargura.

O Senhor lidou comigo duramente nessa área, não para que eu aprendesse a resistir ao Maligno, porque eu havia feito isso durante toda a minha vida como filho dele. Também não se tratava de me fazer resistir ao Espírito Santo, porque ele sabe que eu o amo e que o deixo fazer o que desejar na minha vida. Ele queria tratar essa terceira área de resistência.

> Se você quer que o Espírito Santo o use de forma poderosa, então deve se tornar uma pessoa cujo coração, cuja mente e cuja alma sejam saudáveis e livres de toda amargura.

Todos estamos sujeitos a críticas de outros e cor-remos o risco de permitir que as feridas dominem o nosso coração. Como líder, inevitavelmente eu me tornara uma pessoa pública mesmo sem desejar. Por vezes sou chamado a explicar algo porque nem todos concordam com o que eu ensino. Outros se levantam para mentir e me criticar sem conhecer a verdade. Inventam coisas a meu respeito mesmo que eu demonstre uma atitude de bênção em favor deles. Se não tomo cuidado, essa situação pode facilmente causar um conflito interno dentro de mim. O Senhor foi claro quando me disse que eu não deveria ceder diante de uma ofensa. Ele queria me usar de forma poderosa. Ele queria me levantar cada dia mais alto, e a minha raiva não deveria se tornar um muro para o fluir de suas bênçãos. Uma atitude de perdão só pode ser alcançada se o coração permanece limpo e livre de ofensas.

O PASTOR DA MINHA ALMA

Leia 1Pedro 2.20-24:

EM HONRA AO ESPÍRITO SANTO

Pois que vantagem há em suportar açoites recebidos por terem cometido o mal? Mas, se vocês suportam o sofrimento por terem feito o bem, isso é louvável diante de Deus. Para isso vocês foram chamados, pois também Cristo sofreu no lugar de vocês, deixando exemplo, para que sigam os seus passos. "Ele não cometeu pecado algum, e nenhum engano foi encontrado em sua boca." Quando insultado, não revidava; quando sofria, não fazia ameaças, mas entregava-se àquele que julga com justiça. Ele mesmo levou em seu corpo os nossos pecados sobre o madeiro, a fim de que morrêssemos para os pecados e vivêssemos para a justiça; por suas feridas vocês foram curados.

Essa passagem começa com uma referência sobre aprender a sofrer por fazer o que é correto e aguentar injustiças feitas contra nós com uma boa consciência para que sejamos aprovados por Deus. Imediatamente depois, o escritor diz que o Senhor é nosso exemplo de atitude correta na vida, pois ele carregou nossas enfermidades em seu corpo e por suas pisaduras fomos sarados.

Você já desejou entender a relação entre o início e o fim dessa passagem? O que dizer da relação entre a nossa reação a ofensas e cura? Ninguém pode ser usado para curar alguém enquanto guarda o mal em seu coração. Ninguém que tenha desejos maus em relação a outra pessoa pode ser usado para ministrar cura a outros. Se você tem preconceito contra determinadas pessoas, como poderá ser usado por Deus para tocá--las com o poder dele? Da mesma forma, como Deus pode usar alguém para abençoar você se ela tem algo contra outra pessoa no coração? Para ministrar o poder de Deus, é essencial ter um coração livre de ressentimentos contra outros.

Qualquer pessoa que responda com maldição não pode ser usada para abençoar outros. Qualquer pessoa que faz isso demonstra que é um solo fértil para a amargura e as ofensas. Por esse motivo, Deus não pode usá-las para curar outros. Muitos não recebem mais da unção porque guardam ressentimento contra outras pessoas e têm amargura em seu coração. É por isso que perderam a honra de ser um instrumento de bênção para outros.

> Para ministrar o poder de Deus, é essencial ter um coração livre de ressentimentos contra outros.

Jesus nos deu um exemplo de como devemos nos comportar quando encaramos as críticas e as ofensas. Ele nunca devolveu os insultos, as maldições ou o mau tratamento que recebeu nem nunca ameaçou vingar-se. Devemos seguir seus passos e aprender do caráter de Cristo, humilhando-nos mesmo quando parece muito mais fácil retribuir o mal com o mal. Devemos aprender a sofrer para fazer o que é bom, assim como o Senhor fez para nos abençoar.

Nenhum filho de Deus deveria abrigar sentimentos doentios contra ninguém. Aprenda a perdoar se você deseja ser como Jesus. Não pense que uma alma sadia é aquela que nunca passou por injustiças; pelo contrário, a alma que já aprendeu a reagir de forma adequada e a lidar com suas emoções diante de injustiças é a que se mantém saudável e íntegra. As ofensas podem danificar nossa alma. No entanto, sua decisão e determinação é que determinarão isso. Uma primeira dama dos Estados Unidos, chamada Eleanor Roosevelt, disse certa vez: "Ninguém pode fazer você se sentir inferior sem seu consentimento". Ser facilmente ofendido é um sintoma de uma alma frágil que pode suportar muito pouco. Não é necessariamente a evidência de uma ofensa séria. Submeta seu coração à disciplina do Senhor e você sempre estará pronto para que o Senhor o use.

Certa ocasião, fui terrivelmente ferido quando algumas pessoas muito próximas de mim me ofenderam gravemente. Depois, como sempre, orei para perdoá-las, mas, conforme a paz do Senhor começou a tomar conta de mim, descobri que o Senhor estava muito zangado com o que elas haviam feito. Tive certeza de que ele agiria em meu favor se eu lhe pedisse. Meu espírito sabia que ele moveria sua mão contra elas e meditei sobre isso. Entendi, então, que eu faria uma oração diferente. Pedi ao Senhor que não agisse contra elas como eu havia planejado e deixasse passar aquela ofensa. Embora eu soubesse que podia clamar por justiça ou simplesmente deixar a justiça em suas mãos, acreditava que não era a melhor coisa para mim. Eu desejava crescer em amor e pedi ao Senhor que mostrasse misericórdia aos meus agressores. Agi dessa forma para manter o meu coração em paz e me senti livre da ofensa. Não posso ministrar unção se tenho um desejo de vingança na minha alma.

Os demônios tentam usar as ofensas para desanimar você e assim parar de fazer o bem. É por isso que você deve perdoar em oração qualquer ofensa que receber.

Caso contrário, sua alma ficará doente e começará a desejar pagar o mal com o mal. Não há desculpa válida quando a questão é ser usado por Deus. Você deve manter uma alma saudável, e não há nada mais agradável do que viver livre de sentimentos negativos contra outros.

Jesus é o bispo e pastor da nossa alma (1Pedro 2.25) e deseja nos manter saudáveis para sermos usados por ele. Você deve ser uma pessoa que precisa estar pronta para olhar diretamente no olho da outra pessoa e não ter nenhum rancor contra ela. Seu modo de falar se tornará mais agradável e os seus olhos serão cheios de luz quando estiver em paz. Será maravilhoso levantar as mãos para Deus com um coração puro e dizer a ele: "Senhor, usa-me agora!".

CONTROLANDO AS SUAS EMOÇÕES

Uma noite, antes de uma reunião, eu me ajoelhei no meu quarto para orar e pedi ao Senhor para curar os doentes. Em meu desejo para que o Senhor agisse, orei ansiosamente para que ele fizesse algo por aqueles que estavam passando por necessidades. Em meio à oração, eu disse algo como: "Senhor, por favor, cura-os. Por favor, toca-os". O tom da minha voz era de desespero. Minha oração era tão cheia de agonia e choro que foi quase como se eu estivesse dizendo a Deus: "Eu imploro: cura-os". Ele me interrompeu e disse: "Por que você está me pedindo como se eu não quisesse curá-los?". Ele queria que eu entendesse que ele estava mais interessado em curar os doentes que eu. De qual outra forma ele poderia ter carregado as nossas enfermidades em seu corpo na cruz? Se ele pagou o preço, é porque ele está mais interessado em curar os doentes que eu. Por isso, comecei a agradecer ao Senhor por todos os milagres que eu veria acontecer. No dia seguinte, a unção foi poderosamente derramada, e muitos foram curados e libertos.

Não podemos pedir a Deus um milagre quando as nossas atitudes lhe dizem que não acreditamos que ele deseja nos curar. Ninguém chega a um grande *shopping center* suplicando que os lojistas lhe vendam algo; tampouco alguém entra em sua casa gritando à esposa para servir-lhe o jantar. Então, por que costumamos suplicar a Deus por coisas?

> Não podemos pedir a Deus um milagre quando as nossas atitudes lhe dizem que não acreditamos que ele deseja nos curar.

Aprendi uma coisa muito importante depois de muitos anos no ministério de cura. Não importa quão dolorosa seja a enfermidade, Jesus pode realizar um milagre e pôr um sorriso nos lábios da pessoa. Ele não age movido pelas necessidades das pessoas, mas, sim, por sua fé. Se o poder de Deus fosse derramado motivado por pena dos necessitados, todos receberiam um milagre. Mas Deus só atua diante da fé, porque sem fé é impossível agradar-lhe. Quando você ora com fé pela cura de uma pessoa doente, suas emoções podem, por vezes, o enganar. Você deve preservar suas emoções para que elas não ataquem sua fé, que é o bem mais precioso que você tem.

Certa ocasião, eu estava ministrando e os auxiliares me trouxeram um menino que sofria de hidrocefalia para que eu orasse por ele. Quando o puseram diante de mim, fiquei tão emocionado que comecei a imaginar o sofrimento de sua família. Tudo o que consegui fazer foi chorar. O choque de ver aquela criança doente foi tão intenso que minha fé desapareceu completamente. Quando consegui me recompor e orar, nada aconteceu. Depois o Senhor me reprovou, dizendo: "Os doentes não precisam que você chore por eles. Precisam que você creia com eles". Foi nessa ocasião que aprendi a controlar as minhas emoções para que eu tivesse uma fé ativa em favor dos que sofrem. Eles não vêm até nós para que sintamos pena deles ou de seus sofrimentos. Eles buscam alguém que declare a palavra de fé para sua cura.

As pessoas que fazem constante uso da fé aprendem a reconhecer o momento quando a fé está fluindo e quando ela é interrompida. É assim que aprendemos a administrar não apenas a nossa fé, mas também a fé daqueles que nos procuram e pedem oração. Em outras ocasiões, quando oro pelas pessoas, peço que olhem para mim. Faço isso porque vejo que elas vêm à frente para pedir por um milagre, mas estão mais preocupadas com a doença do que em crer na resposta de Deus para elas. Precisam de alguém que as ajudem a ver o raio de fé nos olhos de alguém que possa inspirá-las a crer que Deus irá curá-las. Elas não precisam recitar todo o seu histórico clínico. Simplesmente precisam da ajuda de um pastor que possa crer no milagre com elas.

O Senhor Jesus também ajudou algumas pessoas a conservar a fé. Jairo, o líder da sinagoga, suplicou a Jesus para ir a sua casa e orar por sua filha doente de

EM HONRA AO ESPÍRITO SANTO

12 anos de idade. Como os dois estavam viajando por estradas, no meio de uma multidão, uma mulher tocou o manto de Jesus esperando ser curada de um fluxo de sangue. O Senhor parou para falar com ela. Naquele momento, alguns mensageiros disseram a Jairo que não perturbasse mais Jesus porque sua filha havia morrido. Imagino o coração de Jairo completamente destroçado quando soube das notícias e seu profundo pesar. O Senhor imediatamente ministrou sobre os medos que poderiam tê-lo destruído. Jesus virou para ele e disse: "Não temas; apenas creia". Não permitiu a ninguém mais segui-lo, exceto Pedro, Tiago e João, e, quando chegaram à casa de Jairo, Jesus ordenou que todos se retirassem do quarto. Ao tomar a criança pela mão, disse a ela que se levantasse, e ela começou a andar. Porque o Senhor ajudou Jairo a manter a fé em meio às adversidades, ele o ajudou a experimentar o milagre que tanto desejava.

O PODER DA HONRA

Lembro-me de uma vez em que estava doente. Tinha uma dor de cabeça tão forte e estava num centro de convenções de um hotel a caminho do púlpito para pregar. Um irmão da igreja, tão conhecido por sua forte personalidade, estava caminhando ao meu lado. Quando lhe disse que não me sentia bem, ele disse que oraria por mim e que eu seria curado. Paramos; ele colocou as mãos sobre mim e disse com voz firme: "Satanás, eu não permitirei que você toque o meu pastor porque ele é um homem de Deus. Deixe-o agora, em nome de Jesus!".

Depois acrescentou, olhando para mim: "Você está curado agora!". Nesse momento específico eu senti o poder de Deus. Se eu tivesse parado para pensar sobre o caráter do homem ou sobre o que os outros diziam dele, não teria acreditado que Deus pudesse usá-lo daquela forma. Mas eu não vi sua fraqueza. Eu vi o Filho de Deus nele. Eu cri que o Senhor podia usá-lo para fazer um milagre, e, quando ele orou, eu estava curado!

Honrar a Deus e o instrumento que ele escolhe é indispensável para que os milagres fluam por meio dele. O Senhor Jesus curou muitas vezes em diferentes lugares, mas em Nazaré, sua cidade natal, ele foi incapaz de fazer muitos milagres, exceto alguns. Todos em Nazaré o viam apenas como o filho do carpinteiro de quem esperavam uma cadeira ou mesa. Eles não o viam como o Filho de Deus que podia curá-los. O que vemos na outra pessoa determina, em grande medida, o que somos capazes de receber delas. O Espírito Santo se move onde a honra é dada a Deus, não onde há crítica e murmuração. Nós vivemos em um Reino e precisamos aprender a nos conduzir como cidadãos desse Reino. É por isso que devemos honrar aqueles que representam o Senhor.

> Honrar a Deus e o instrumento que ele escolhe é indispensável para que os milagres fluam por meio dele.

Uma das cruzadas de milagres mais memoráveis que já organizamos foi feita na minha cidade natal, Guatemala, em março de 2008. Por duas noites consecutivas, lotamos nosso estádio nacional de futebol, Mateo Flores. Já não havia lugar para tanta gente, e muitos tiveram de assistir à cruzada nas telas de projeção que montamos do lado de fora. Tivemos de pedir às pessoas pela rádio que parassem de se dirigir ao estádio. Na segunda noite, começamos duas horas antes do programado, porque o estádio já estava lotado. Muitas rádios seculares transmitiram o evento e diversos pastores amigos estavam lá para oferecer ajuda. Foi um evento poderoso que deixou uma marca inesquecível no nosso ministério e na cidade. Foi o cumprimento de um sonho que eu tinha mantido na mente desde o dia em que havia entregado minha vida ao Senhor e pedido a ele que me usasse para abençoar meu país, assim como ele havia usado muitos estrangeiros até aquele momento. Mas o que realmente me encorajou foi a atitude das pessoas que chegaram aos milhares, contradizendo o antigo ditado de que o profeta não é honrado em sua própria terra. O Senhor se manifestou poderosamente e curou muita gente, porque ele viu a honra que estavam demonstrando.

Alguns acreditam que Deus não pode usá-los em sua família ou país porque interpretam de modo equivocado o texto que diz que um profeta é honrado em todos os lugares, exceto em seu próprio país. Se você ler o contexto, verá que o foco desse texto não está na sua cidade ou nacionalidade, mas na falta de honra. Se o lugar de origem for o problema, teríamos de admitir que no México não pode haver nenhum pastor mexicano ou que na Guatemala não pode haver nenhum pastor guatemalteco. Eles não o honraram como o Filho de Deus e por esse motivo não acreditariam no poder do Espírito Santo que repousava sobre ele. Você pode fluir na unção onde você é respeitado e honrado, quer seja em sua família, em sua vizinhança, em seu trabalho ou em sua universidade. Deus quer usar você para abençoar aqueles que estão mais perto.

Quando Deus o usa, você deve ter cuidado tanto com o orgulho quanto com a falsa humildade. A falsa humildade busca a aparência da virtude menosprezando a si mesmo. O Senhor Jesus nunca falou negativamente dele mesmo. Ele disse: "Eu sou a luz do mundo. Quem me segue, nunca andará em trevas, mas terá a luz da vida" (João 8.12); "Eu sou a ressurreição e a vida. Aquele que crê em mim, ainda que morra, viverá" (11.25); "Eu sou o bom pastor; [...] e dou a minha vida pelas ovelhas" (10.14,15). Vezes e vezes lemos declarações semelhantes: "Eu sou o pão da vida" (6.48); "Eu sou a porta das ovelhas" (10.7); "Eu sou a videira verdadeira" (15.1); "Eu sou o caminho, a verdade e a vida" (14.6). Ele falou bem de si mesmo, porque acreditava em sua identidade diante de Deus e das pessoas. Sua humildade não o impediu de revelar quem era. Você sabe quem você é?

Somente quando você reconhece o que Deus deu a você é que finalmente será capaz de dar algo a outros. Quando você acredita em quem é e o que tem no Senhor, anunciará a outros para que creiam também. Sempre que eu me preparo para subir ao púlpito para ministrar em uma cruzada, a voz do Senhor me dá sua afirmação. Ouço o Espírito Santo lembrando-me: "Você é meu príncipe. Vá até lá e creia que eles serão curados; e você o verá".

Creia à medida que ele age e você verá o Senhor usar você com sua unção poderosa para abençoar inúmeras pessoas.

12

Curando os doentes

Certa noite, há muitos anos, tive um sonho que marcaria o começo de uma mudança poderosa em meu ministério. Sonhei com uma evangelista que foi tremendamente usada em curas e milagres, Kathryn Kuhlman. Ela era muito conhecida internacionalmente pelas manifestações poderosas que ocorriam durante as cruzadas de cura divina. No meu sonho, vi que ela havia morrido, e uma pessoa me chamava para entregar duas caixas, dizendo: "Ela deixou isto para você". Eu fiquei confuso, mas abri as caixas. A primeira continha livros e mais livros. A outra caixa estava cheia de roupas. Lembro-me de ter ficado muito surpreso, tirando uma a uma dessas roupas e perguntando: "Como vou vestir isso?". Obviamente, a roupa era um símbolo do manto de unção que eu receberia, mas naquele momento eu não tinha compreendido dessa forma.

Dias depois, uma mulher a quem carinhosamente chama-mos de Mama Rosa me deu um livro de Kathryn Kuhlman, intitulado *Vislumbres de glória*. O estranho era que os livros dessa autora não eram vendidos em qualquer livraria da cidade, mas Mama tinha um exemplar.

Sem saber nada a respeito do meu sonho, ela o deu para mim. Logo depois, mais dois livros da mesma autora vieram parar em minhas mãos. A mensagem era clara.

Enquanto eu orava certa noite, o Senhor me disse que me usaria para ministrar curas e milagres como ele havia usado Kathryn Kuhlman e que eu saberia quando a hora chegasse. Eu sempre quis ser usado por Deus para ministrar a cura divina. Desde pequeno me preocupava com o bem-estar dos demais e não queria ver ninguém ficar doente nem sofrer. Minha mãe se lembra de que, quando eu era pequeno, costumava dar as minhas jaquetas a pessoas nas ruas para que se cobrissem, mesmo que isso significasse que eu passaria frio. Quando o Senhor me fez essa promessa de curas e milagres em grandes reuniões, eu já estava visitando os doentes em seus lares e hospitais. Eu tinha orado e imposto as mãos em pessoas para que fossem curadas, mas ele queria fazer algo que tivesse um impacto maior. Desejava me conceder uma unção para ministrar cura em reuniões de massa onde muitas pessoas pudessem receber ao mesmo tempo seu próprio milagre.

Certo dia, enquanto eu ministrava em uma reunião, experimentei algo pelo qual estava esperando. Senti a mão de Deus em minhas costas e vi sua silhueta do meu lado. Entendi que era ele, e com muita emoção disse: "Senhor, tu estás do meu lado!". Mas ele gentilmente respondeu: "Não, é você que está do meu lado". Eu entendi que é ele quem nos põe do seu lado. Não nós. Mais tarde, eu o vi andando em meio às pessoas, e ele me disse: "Declare a minha cura aos doentes porque chegou o dia". Nesse momento, com toda a fé, o meu coração reuniu forças e com uma voz das mais potentes comecei a declarar cura aos doentes, e os milagres começaram a acontecer. Essa foi a primeira reunião de cura em massa da minha vida.

ELE QUER USAR VOCÊ!

Muitas vezes as pessoas se aproximam de mim para me dizer que Deus certamente me usará porque sou uma boa pessoa e tenho um bom coração. O que elas não sabem é que, em certo sentido, ele me usa porque as pessoas creem que ele me usará. Aconteceria da mesma forma se elas acreditassem nisso sobre elas mesmas. Por que não usar sua fé e crer que Deus também pode usar você? Deus deseja dar seu poder para curar aqueles que têm câncer, paralisia, que são cegos e mudos. Deus pode manifestar-se por meio de qualquer um que se considera digno de ser usado por ele.

Não pense que sua conduta tem de ser perfeita para que Deus use você. Somente Jesus, o Cordeiro de Deus que derrama seu sangue na cruz para nos garantir vida eterna, foi perfeito. Não é sua conduta que permite acesso a Deus, mas a graça do nosso Senhor Jesus Cristo que foi sacrificado por nós. Você tem acesso ao trono de Deus graças a ele, não a você. É nessa graça que ele deseja usar você com o poder dele.

> Por que não usar sua fé e crer que Deus também pode usar você?

Você acredita que pode ser usado por Deus? Você não precisa entender por que ele o está usando, mas precisa crer que ele o usará. Quando olho para os meus defeitos e fraquezas, agradeço a Deus por sua graça. Não duvido nem questiono; simplesmente creio que ele

EM HONRA AO ESPÍRITO SANTO

pode me usar, não porque eu seja perfeito, mas porque ele prometeu tal coisa. Você não é o seu próprio carrasco que o condena por não ser perfeito, impedindo Deus de usar sua vida. Ele não pode usar você dessa forma. O poder dele, no entanto, fluirá de você se acreditar que sua graça o pode ungir como você é.

Deveríamos ver milagres todos os dias e permitir que Deus nos use para realizá-los. Eu tenho visto jovens vestidos de camiseta e com penteados excêntricos ministrarem poderosamente com a unção de Deus. Uma nova geração está florescendo, porque os jovens estão crendo na presença de Deus e no poder dele. Alguns poderiam dizer que uma igreja não tem o preparo para ser evangelista ou que os jovens carecem de maturidade para ministrar sob a unção do Espírito Santo. Isso só reflete seu nível de crença em Deus. Ele usa pessoas que são simples e genuínas e espera usar você como é.

CUMPRINDO SUAS ORDENS

Curar os doentes é mais do que um dom ou ministério específico; é uma ordem que o Senhor deu a todos os que creem. É nossa responsabilidade orar pelos doentes sem nos preocupar se temos os dons de cura divina ou não. Quando você obedece a Deus, os milagres o acompanharão. Ore pelos doentes e não espere que o Senhor faça tudo. Você é a pessoa que deve curá-los no poder do Senhor Jesus Cristo. Veja o que diz a Palavra de Deus em Marcos 6.12,13: "Eles saíram e pregaram ao povo que se arrependesse. Expulsavam muitos demônios e ungiam muitos doentes com óleo e os curavam".

Curando os doentes

Se você atentar bem para esses versículos, observará que foram os discípulos que curaram os doentes, não Jesus. Eles é que saíram para pregar e expulsar demônios em nome de Jesus, no poder do Espírito Santo.

Os discípulos assumiram a responsabilidade que o Senhor lhes havia delegado de orar pelos doentes e obedeceram. É por isso que os milagres os seguiam por onde quer que fossem. Essa mesma ordem também se aplica a você e a mim. Quando você crê que é a pessoa que deve fazer essas coisas, começará a exercer sua responsabilidade. Quem quer que a cumpra, verá o poder de Deus manifesto em sua vida.

Jesus já havia pagado o preço para que os milagres fossem feitos. Ele nos ordenou que oremos pelos doentes. Por suas feridas fomos sarados, e é nossa responsabilidade estender as mãos sobre os enfermos e orar, crendo que obteremos a resposta. Você e ele são um; vocês trabalham juntos para a cura de outros. Ele ordena que você faça isso em seu nome, porque já pagou o preço.

Quando oramos por uma pessoa doente, devemos ordenar que ela receba a cura. Lembro-me de haver ministrado em uma reunião de milagres em que eu orava pelos doentes de forma genérica e ter recebido uma palavra de conhecimento de que os pés de uma pessoa seriam endireitados. Estava naquela reunião um jovem que tinha nascido com os dois pés torcidos, de modo que parte da frente ficava atrás. Essa deformidade o impedia de pular e correr como seus amigos faziam. Um de seus sonhos era poder jogar basquete, mas esse impedimento físico criou todas as limitações. Quando ouviu a palavra, ele creu, abaixou a cabeça e olhou para seus pés e, com toda a autoridade e

EM HONRA AO ESPÍRITO SANTO

determinação que podia ter, apontou para seus pés com o dedo indicador e disse: "Isso é para vocês, portanto endireitem-se agora mesmo". Nesse mesmo instante, diante de seus olhos, seus pés começaram a endireitar-se. Ninguém orou por ele. Ninguém impôs as mãos sobre ele. Ele apenas creu na Palavra e ordenou que seus pés se endireitassem. Foi exatamente isso que aconteceu. Aqueles que o conheciam me disseram depois que aquele jovem agora joga basquete na escola. A mesma coisa aconteceu com pessoas que sofriam de pés achatados. Muitas crianças e adultos testemunharam que no momento em que eu emiti a palavra, foi formada uma curvatura na sola de seus pés.

Sempre que vou a uma reunião de milagres, sei que estou representando Jesus. Foi ele que me enviou para realizar milagres em seu nome. É por isso que eu ordeno que a enfermidade desapareça e que o corpo seja sarado. Quando oramos ou ministramos em nome de Jesus, fazemos isso como seus representantes. Não se trata de você ser perfeito, mas, sim, porque acredita na autoridade que lhe foi delegada em nome de Jesus. Portanto, quando oramos por alguém em nome de Jesus, sabemos que foi ele que nos enviou para fazer essa obra, e a autoridade dele sempre será o nosso fundamento.

DECLARE A PALAVRA

Em Lucas 5.17-26, lemos o relato do paralítico que foi descido por um telhado por quatro amigos e posto bem diante de Jesus Cristo para ser curado. Vemos no começo desse relato que o Senhor não estava orando pelos doentes, mas ensinando o povo. Lemos: "Certo dia, quando ele ensinava, estavam sentados ali fariseus e mestres da lei, procedentes de todos os povoados da Galileia, da Judeia e de Jerusalém. E o poder do Senhor estava com ele para curar os doentes" (v. 17).

Observemos que a Bíblia nos diz que o poder de curar estava em Jesus, mas que ele não estava curando ninguém naquele momento. Estava apenas instruindo os fariseus e os mestres da lei quando, de repente, foi interrompido por quatro homens que abriram uma passagem no telhado de uma casa e introduziram o homem por ela em uma maca. Posso imaginar que alguns dos presentes devem ter se sentido apreensivos pela desordem que isso deve ter causado. Mas Jesus parou, olhou para o homem deitado na maca e olhou em direção aos amigos, tão determinados em receber um milagre de Jesus. Eles não se detiveram simplesmente porque a multidão não os permitiria fazer tal coisa. Acreditavam que o amigo seria curado. Portanto, tinham tudo planejado para levá-lo até Jesus de qualquer modo. Um deles deve ter tido a ideia de levá-lo até o telhado, abrir uma passagem e descê-lo por ela até onde estava Jesus, na casa. Imagine o risco que estavam correndo! Mas eles acreditaram e superaram os obstáculos por meio da fé. O Senhor atentou para isso, porque a fé sempre lhe agrada. Qualquer pessoa esperaria que Jesus realizasse um milagre imediatamente, mas não foi o que aconteceu. Embora houvesse um homem paralítico diante dele e o poder estivesse nele para curar, Jesus não o curou. Em vez disso, o Senhor lhe disse que seus pecados estavam perdoados. Isso deixou aborrecidos os fariseus e os mestres da lei, os quais pensavam que Jesus não tinha autoridade para perdoar pecados. Por isso, perguntou àqueles o que era mais fácil dizer ao homem:

EM HONRA AO ESPÍRITO SANTO

que seus pecados estavam perdoados ou dizer a ele para pegar sua cama e andar. Ninguém respondeu, por isso o Senhor rompeu o silêncio e declarou sua ordem. Quando Jesus fez isso, o corpo do homem se endireitou e ele ficou em pé na presença de todos ali, pegou sua cama, na qual havia estado deitado, e começou a andar rumo a sua casa, dando glória a Deus. Esse homem foi curado, porque o Senhor declarou a palavra de cura e ativou o poder que estava sobre ele.

Na sua boca há poder. Você pode usar as suas palavras para declarar cura com autoridade. Não confesse apenas os problemas e provações que está enfrentando. Declare que promessas de Deus serão cumpridas na sua vida. Nesse relato, o Senhor já tinha o poder para cura, mas este não foi ativado até que o declarou. Da mesma forma, a bênção de Deus pode estar com você e pode ser ativada somente quando você a confessa ou declara. Quando acreditamos na Palavra de Deus e a declaramos, podem acontecer maravilhas.

ORANDO PELAS MULTIDÕES

Nossa primeira cruzada formal de cura começou depois que alguns amigos me convidaram para ministrar a presença do Espírito Santo em Quito, Equador. Nessas reuniões, a manifestação do poder de Deus era tão forte que as pessoas se deitavam nos corredores fora do templo completamente cheias do Espírito Santo.

Entre os líderes da igreja havia uma jovem que era filha de outro pastor de uma influente igreja da cidade. Essa jovem estava presente nessas noites e decidiu pedir permissão ao pai para me convidar a ministrar em sua igreja também. Sem que eu soubesse, ela mostrou um vídeo

Curando os doentes

para o pai do que tinha acontecido na igreja onde eu havia ministrado, mas as cenas não mostravam muito da manifestação do poder de Deus. Ela havia escolhido mostrar algumas cenas de uma noite calma e monótona, por isso o pai aceitou seu pedido. O pastor não tinha imaginado o que estava reservado para ele e, para ser honesto, nem eu.

> Na sua boca há poder. Você pode usar as suas palavras para declarar cura com autoridade.

Vários dias depois o convite chegou ao meu escritório para ministrar na igreja, e o Espírito Santo me levou a aceitá-lo. As reuniões foram gloriosas, e o poder de Deus foi derramado grandemente. O pastor e sua família foram poderosamente tocados. O que ocorreu foi tão forte que em alguns momentos de oração no meu quarto, onde eu estava hospedado, o Espírito Santo me revelou especificamente o que ele faria com as pessoas, até mesmo me dando os nomes de algumas delas. Depois de uma semana de ministério, os pastores testificaram que muitos doentes haviam sido curados durante as reuniões. Eles ficaram tão impressionados que eu mantive uma série de encontros, que denominei Noites de Glória. Eu fiquei muito emocionado, especialmente porque tive a oportunidade de ter a primeira dessas reuniões com as quais tinha sonhado desde a minha juventude.

Os pastores sugeriram que as reuniões fossem feitas no Coliseu Rumiñahui, com capacidade para mais de 18 mil pessoas. Quando me levaram até lá para ver o local, pareceu-me um lugar gigante e me perguntei: "O que vou fazer para encher este lugar?". A pergunta seguinte foi: "Como vou pagar por isso?". Em seguida, sugeriram que eu convidasse algum cantor famoso para me ajudar a reunir e trazer mais pessoas, mas eu não gostei da ideia.

EM HONRA AO ESPÍRITO SANTO

Minha resposta foi um tanto jocosa: "Vamos fazer isso sem truques nem artifícios. Deixem vir os que estão realmente famintos e sedentos de Deus e do Espírito Santo; se este não for o caso, então não têm motivos para estarem aqui".

Tentamos fazer tudo com excelência, usando o mesmo sistema de som e iluminação disponível. Essa seria a primeira vez que usaríamos câmeras para filmar o culto. Ninguém tinha adiantado nenhuma quantia em dinheiro para pagar pela cruzada. Como disse antes, esse foi o evento por meio do qual decidi vender nossa casa para cobrir as despesas. Claro que o Senhor nos surpreendeu quando voltamos para o nosso país, porque alguém nos ajudou, pagando a diferença que faltava.

O coliseu esteve repleto nas três noites naquele maio de 1999. Quinze mil pessoas receberam Jesus como seu Salvador durante as reuniões. Durante essa primeira cruzada, eu vi cegos ganhando vista, pessoas com algum membro paralisado serem restauradas e, o mais importante, uma pessoa com doença mental ser restabelecida e curada. No final, uma mulher se aproximou de mim para dizer que tudo havia saído bem, mas que nós tínhamos cometido um erro muito grave, que era gastar muito dinheiro. Eu respondi que, se tivesse que comparar a quantidade de dinheiro gasto com o número de pessoas que foram salvas e abençoadas, as coisas tinham sido na verdade bem baratas.

Foi assim que embarquei na aventura do que se tornariam nossas cruzadas de cura Noites de Glória. Quando celebramos o 10º aniversário desses encontros, fizemos uma avaliação do que o Senhor nos havia permitido alcançar com sua bondade. Entendemos que mais

Curando os doentes

de um milhão de pessoas havia feito sua confissão de fé, e muitas mais tinham sido curadas. Isso só poderia ser fruto da fidelidade de Deus em cumprir suas promessas.

Creio no dia em que todos os doentes que assistirem a uma cruzada de cura serão curados, assim como foi no ministério de Jesus. Mesmo assim, enquanto isso não acontece, eu me alegro com aqueles que são curados em cada oportunidade. Quando termino de ministrar, em geral tenho sentimentos opostos. Fico emotivo por aqueles que receberam milagres, mas não posso parar de pensar nos que não foram curados. É triste ver muitos que viajaram longas distâncias para participar de uma cruzada de cura e depois voltar para casa sem receber um milagre. É realmente doloroso. Eu oro por eles para que o Senhor os toque no caminho de volta, no dia seguinte ou em uma ocasião futura. Sei que Jesus quer curá-los.

Muitos perguntam por que alguns não são curados; eu realmente não sei. Outros podem oferecer alguns motivos, mas eu não ouso confabular. Não posso julgar aqueles que não são curados, dizendo que não têm fé, porque já têm dor o bastante com a qual lidar todos os dias e não precisam de ninguém mais para condená-los. Nossa responsabilidade é dar esperança, estimulá-los a crer em seu próprio milagre. Se ele não vier nessa ou naquela ocasião, Jesus poderá fazê-lo no dia seguinte. Apenas precisam dizer para si mesmos: "Hoje pode ser o dia em que receberei o milagre que desejo".

Mas não me aguento de alegria quando vejo tantos outros sendo curados. É por isso que celebramos a vitória, porque cada milagre prova que o Senhor continua fazendo sua obra até hoje. E é por isso que me sinto maravilhado e

EM HONRA AO ESPÍRITO SANTO

Nossa responsabilidade é dar esperança, estimulá-los a crer em seu próprio milagre.

profundamente comovido cada vez que ouço um testemunho, tanto que não posso evitar rir, pular de alegria e cantar a ele. Esse é o motivo pelo qual prometi a Jesus que faria todo o possível para contar ao mundo as maravilhas que ele continua fazendo.

Em certa ocasião, Jesus me perguntou: "Você quer saber por que eu o uso dessa forma?". Eu nunca lhe havia perguntado, porque não estava buscando motivos para me gloriar. Eu preferia ser usado sem saber por que, e simplesmente estar grato por seu amor. Mas, no dia em que Deus me fez essa pergunta, perguntei a razão, e ele me respondeu: "Porque o que você faz está diretamente relacionado com o sacrifício do meu Filho e eu sempre estarei por trás de tudo, não importa o que aconteça. Você prega salvação, ministra cura e ensina o meu povo a prosperar. O meu Filho pagou por todas essas coisas por meio de sua morte".

Deus está presente hoje para operar milagres. Peça a ele para usar você para a glória e honra dele, e ele o fará. Peça a ele os meios para a obra, e você logo se verá fazendo grandes coisas para ele. Não busque notoriedade; somente procure servir. Não busque fama, mas, se Deus quiser dá-la a você, use-a para trazer mais pessoas a ele. Não busque dinheiro, mas, se Deus quiser dá-lo a você, use-o para alcançar mais pessoas e abençoá-las. Vá e faça a obra!

13
A bicicleta ou eu?

Há muitos anos, quando estávamos começando a nossa igreja, experimentei um momento bastante intenso. Dentro de mim, estava lutando com algumas questões sobre o meu chamado. Foi quando recebi um telefonema surpresa. Era um dia comum, mas fiz dele uma exceção na minha rotina de levar os filhos para a escola e decidi ficar em casa sozinho e orar. Naquele momento, o telefone tocou.

Eu atendi e ouvi a voz de um homem mais velho, que me perguntou: "É o servo de Deus, Cash Luna?". No início fiquei surpreso com sua saudação e até cheguei a pensar: "Que tipo de saudação é essa?", repetindo a mesma declaração que Maria usou para com o anjo Gabriel. Então respondi: "Sim, é ele". "O Senhor disse que o chamou para pregar seu evangelho aos ricos e pobres, às pessoas que são academicamente preparadas e àquelas que nem sequer sabem ler e escrever. E que em poucos dias você será ungido como os reis e sacerdotes eram no Antigo Testamento".

Em seguida, eu perguntei quem ele era, mas ele não quis me dar seu nome. Apenas me disse que era

EM HONRA AO ESPÍRITO SANTO

um homem de Deus e que sabia pelo Espírito Santo que eu tinha estado orando na noite anterior, pedindo a Deus por mais definição para a minha vida. Ele me deu as respostas específicas pelas quais eu havia buscado como se estivesse presente lá durante o meu período de oração. Em seguida, desligou. Eu fiquei surpreso e grato a Deus por me dar evidência de sua fidelidade.

Uma semana depois, ele me ligou novamente. De novo naquele dia eu tinha decidido não ir com a minha mulher deixar as crianças na escola. Dessa vez, ele me disse que o Senhor estava me dizendo para não temer, mas para alargar a tenda e estender as cortinas (cf. Isaías 54.2). Foi exatamente essa a palavra que eu havia recebido do Senhor algum tempo antes. Ele acrescentou que Deus lhe dissera dito para me ungir com óleo, como um ato profético do que estava para vir, porque Deus me ungiria com seu Espírito. Ele também me disse que estava esperando ungir a minha esposa e a mim em um local específico de um bairro fora da cidade; em seguida me disse seu nome. Era estranho, porque eu sabia que ele era o administrador de uma casa de repouso. Mas, quando ouvi os detalhes que ele sabia do meu relacionamento com o Senhor, entendi que Deus estava definitivamente no meio de tudo aquilo, falando por meio dele pelo Espírito Santo.

Então, a minha esposa e eu nos preparamos com jejum e marcamos nosso encontro, na hora e no dia planejados. O homem veio para nos receber. Desejando chamar sua atenção para o que ele planejava fazer, eu disse: "Perdão, mas por que você vai me ungir se nem sequer me conhece? E se estiver ungindo alguém que não é bom?". Claro que eu conhecia o meu comportamento e a

A bicicleta ou eu?

minha integridade, e não perguntava por mim mesmo, mas disse isso para evitar ser ungido descompromissadamente por alguém. O homem respondeu com um tom de autoridade: "Olhe, eu já sou velho e, se há algo que aprendi ao longo dos anos, é ouvir a Deus e obedecer a ele. Ele me disse para ungi-lo, e isso é o que vou fazer".

Pensei: "E por que eu deveria permitir que esse homem me unja?". Eu não queria ser presa de alguém que entregasse missões aleatórias a outros. Mas naquele momento o Senhor me lembrou de sua palavra em Romanos 12.16: "Tenham uma mesma atitude uns para com os outros. Não sejam orgulhosos, mas estejam dispostos a associar-se a pessoas de posição inferior. Não sejam sábios aos seus próprios olhos". Em seguida, acrescentou: "Nenhuma pessoa grande ou renomada o ungirá, para que você sempre se lembre de que fui eu que fiz isso e de onde eu o levantei". Ao que respondi: "Perfeito, Senhor. Que assim seja. Unge-me".

Esse homem lavou os nossos pés e em seguida nos serviu a ceia do Senhor. Em seguida, colocou algumas toalhas no chão e pediu que nos ajoelhássemos nelas. Tomou uma enorme jarra de azeite com especiarias, semelhante à fórmula do azeite de unção que era usado pelos sacerdotes no Antigo Testamento. Nesse momento, imaginei que ele colocaria as mãos no azeite e depois poria as mãos na minha cabeça, como de costume, ou talvez colocasse um pouco de azeite na minha fronte ou na minha cabeça, mas nada disso aconteceu. Para minha surpresa, ele jogou todo o conteúdo de azeite sobre nós, como se estivéssemos tomando um banho. Fomos literalmente embebidos dele. O azeite cobriu nossa cabeça,

EM HONRA AO ESPÍRITO SANTO

escorrendo pelo rosto e ombros, entrando pelos olhos e sendo absorvido por nossa roupa. Fomos muito tocados e quebrantados pelo Senhor. Naquele dia eu pude realmente sentir o poder de Deus naquele lugar.

Quando deixamos o local, eu disse à minha esposa que precisava tomar uma xícara de café em uma cafeteria no *shopping center*. Ela concordou, mas disse que antes tínhamos que passar em casa, tomar um banho e trocar de roupa porque estávamos literalmente pingando e cheirando a óleo. Eu, porém, insisti que fôssemos como estávamos. Quando chegamos lá, sentamos em uma das mesas perto da entrada, de frente para o corredor em que todos passavam. Havia tanto azeite na nossa cabeça que, quando tentei tomar o café, gotas de azeite caíam dentro da xícara. As pessoas na cafeteria que nos conheciam ficaram surpresas quando nos viram, mas não disseram nada. Naquele instante eu disse à minha esposa: "Convido você para tomar um café desse jeito, pingando azeite, em frente de todas estas pessoas, porque jamais teremos vergonha da unção de Deus ou do que ele é capaz de fazer".

Estamos vivendo em um tempo em que os filhos de Deus e até seus ministros temem as manifestações do Espírito Santo e as reações físicas que o nosso corpo pode experimentar. Quero ter certeza de que nada desse tipo passe pelo meu coração. Não finjo entender tudo o que Deus está fazendo, mas, dentro de mim, aceito tudo o que vem dele.

O que fizemos naquela tarde diante de todos, com azeite pingando, cabelo grudento e roupas ensopadas, pode ter parecido embaraçoso para alguns, até mesmo

A bicicleta ou eu?

humilhante para outros. Mas, para mim, mostrar o poder do Espírito Santo ao mundo é uma honra. Por sua misericórdia, o nosso programa de TV vai ao ar a milhões de latino-americanos. Não creio que seja um acidente que o Senhor me use para tornar conhecidas as suas maravilhas. De fato, ele deve ter visto essa cena peculiar e pensado: "Aí está um filho meu que não tem vergonha de mim ou da minha unção. Vamos ungi-lo e usá-lo para divulgar o meu evangelho".

Não tenha vergonha do Espírito Santo, porque ele nunca tem vergonha de você. Ande com ele e tenha comunhão com ele. Testifique suas palavras. Desse modo, sempre se alegrará com sua companhia.

> Não tenha vergonha do Espírito Santo, porque ele nunca tem vergonha de você.

MINHA PRESENÇA SEMPRE ESTARÁ COM VOCÊ

Por vezes, encontro-me fazendo a mesma oração que Moisés fez no deserto. Quando ele pediu ao Senhor que o acompanhasse rumo à terra prometida, Deus respondeu que seu anjo iria adiante dele e do povo. Mas Moisés disse a Deus que ele preferia ficar no deserto a andar sem a presença de Deus na terra de abundância. Para ele, o deserto com Deus parecia bem melhor do que uma terra que manava leite e mel, mas que não tivesse sua presença.

Quando estava para me casar, eu ainda vivia em um pequeno quarto onde aprendi a buscar a presença de Deus e a ter comunhão com seu Espírito. Eu ainda dormia em uma cama dobrável emprestada, e, antes de me mudar para a casa em que viveria com Sonia, minha esposa, pedi ao Senhor para ir comigo. Eu disse que sua presença era vital para mim aonde quer que fosse e que, se ele não fosse comigo, preferia ficar ali mesmo. Depois fiz uma oração da qual ele certamente deve ter dado risada: "Senhor, se não fores comigo, não me tires daqui. Portanto, terás que fazer esta cama mais larga ou diminuir Sonia, porque não sairei daqui sem o Senhor". Claro que sua presença nos acompanhou ao nosso novo lar.

Sempre que ocorre uma mudança em minha vida e em meu ministério, faço a mesma oração: "Senhor, a menos que vás comigo, não me tires daqui". Fiz essa oração quando nos mudamos para a casa que construímos e quando a igreja dedicou seu novo templo. Se sua presença não nos acompanhar, não valerá a pena fazer o que estou fazendo, mesmo que pareça ser a coisa certa.

A BICICLETA OU EU?

Quando eu era criança, tive o encontro com o Senhor na minha cama — como descrevi nos primeiros capítulos —, o que teve um grande impacto na minha vida. Daquele momento em diante, comecei a ouvir uma pequena voz no meu coração que me guiou e confrontou.

Lembro-me de dois momentos nos quais ele claramente falou comigo. Um deles dizia respeito a uma bicicleta que eu queria muito quando criança. Era uma bicicleta tipo Califórnia, a mais moderna daquele tempo, um estilo que antecedeu o famoso modelo BMX. Eu desejava uma vermelha e fui muito persistente, pedindo todos os dias à minha mãe que me desse uma.

A bicicleta ou eu?

Lembro-me de uma noite, quando ia dormir, que uma voz interior me disse claramente: "Você prefere a mim ou a bicicleta?". Sentia algo indescritível no estômago cada vez que essa voz falava comigo. Parecia estar agitada e repetia: "A bicicleta ou eu?". "Tu, Senhor. Sempre será tu. Se tivesse que escolher entre ti e uma bicicleta, sempre seria tu." Parece ser uma decisão fácil, mas, acredite, não foi para um garoto de 12 anos. Mais tarde, tal como havia sonhado, ganhei a bicicleta, assim como as demais coisas nos são dadas quando buscamos a Deus em primeiro lugar.

O segundo momento de que me lembro tem a ver com uns patins. Naquele tempo, não havia patinação em linha, somente aqueles com rodas presas a uma estrutura de metal, que por sua vez estava atada aos calçados, que se prendiam com faixas ou ganchos. Os patins que eu queria tinham umas pontas para frear e um interior vermelho plástico. Estes eram da marca preferida porque não danificavam os sapatos nem as solas. Eu estava determinado a ganhar um par destes e de novo ouvi uma voz: "Os patins ou eu?". E eu disse: "Tu, Senhor. Sempre será tu".

Anos mais tarde, estava pastoreando uma igreja durante os primeiros meses depois de ter sido organizada e precisávamos de um grande local para as nossas reuniões. Alugamos o salão de um hotel, crendo que Deus nos faria prosperar para ter o nosso próprio espaço. Foi quando um homem de negócios apareceu, dizendo que Deus lhe havia dito para construir uma igreja exatamente na área onde eu queria construir o nosso templo. Ele veio falar comigo sobre o assunto. O edifício estava

EM HONRA AO ESPÍRITO SANTO

quase completo, e esse homem estava buscando um pastor ao qual pudesse doar o edifício. Você imagina como fiquei radiante de felicidade? Eu era um pastor jovem, que acabara de abrir uma igreja. Eu queria ver milagres e tinha fé de que Deus faria a igreja prosperar. Foi fácil concluir que Deus o havia enviado. Mas aqui está a diferença entre uma pessoa que tira conclusões com base em evidências e outra que ouve o Senhor.

Esse homem esteve em uma das nossas reuniões no domingo seguinte. O poder de Deus foi derramado de forma poderosa e coisas que podem parecer estranhas aos olhos e à mente humana estavam acontecendo. Esse homem vinha de uma igreja bastante conservadora e havia aprendido que essas coisas não podiam acontecer na igreja, de modo que, ao chegar, sentou-se no fundo. De repente, uma jovem mulher endemoninhada entrou na igreja e foi tocada pelo poder de Deus. Ela caiu no chão e começar a rastejar feito uma serpente, seme-lhante aos relatos descritos nos Evangelhos de pessoas que foram libertas. Eu estava de pé, atrás de um púlpito de madeira, e, quando dei a volta para ver o homem, ele parecia muito sério, com um olhar perturbado. Pensei em diminuir o derramamento do poder de Deus para evitar o risco de que ele mudasse de opinião e deci-disse não nos dar o edifício da igreja. No entanto, teria evitado que uma jovem fosse liberta!

Naquele momento, ouvi novamente a voz da minha infância me pedindo para escolher entre a bicicleta e ele. Eu literalmente senti como se uma mão estivesse no meu peito e me perguntasse: "A igreja ou eu?". Respondi: "Tu, Senhor. Sempre que me pedires para escolher,

A bicicleta ou eu?

sabes que a minha escolha sempre será o Senhor. Acima de qualquer bênção material, eu sempre escolherei a ti".

Obviamente, o homem não me deu o edifício, porque não interrompi a manifestação do poder de Deus. A propósito, anos mais tarde construímos um templo com capacidade para 3.500 pessoas na mesma região da cidade. Construímos esse edifício sem deixar dívidas e sem empréstimo bancário. Foi inaugurado em 2001, e em 2011 construímos um santuário para mais de 12 mil pessoas, bem como salas para 2.800 crianças e estacionamento para 3.600 veículos, tudo em uma área de 324 mil metros quadrados, ou 40 quarteirões.

Por escolher o Senhor, eu perdi a doação de um edifício, mas depois ele nos permitiu construir um templo duas vezes maior. Suas bênçãos sempre o acompanharão sempre que escolha Deus acima de tudo.

Ele nos fez uma maravilhosa promessa, a de que ele sempre estará conosco. Se, algum dia, você tiver de escolher entre ter comunhão com ele e uma de suas bênçãos, pequena ou grande, sempre escolha Deus, assim como ele escolheu você. Nunca troque o Senhor por nenhum de seus sonhos ou desejos, não importa quão belos possam parecer, nem mesmo por uma bicicleta vermelha estilo Califórnia.

> Suas bênçãos sempre o acompanharão sempre que escolha Deus acima de tudo.

Lembre-se: Deus é uma pessoa, não algo.

Esta obra foi composta em *Cambria*
e impressa por Gráfica Expressão e Arte sobre papel
Polen Bold 90 g/m² para Editora Vida.